Petits *Classiques*
LAROUSSE

Collection fondée par Félix Guirand,
Agrégé des Lettres

La Princesse
de Montpensier

Madame de Lafayette

Nouvelle historique et d'apprentissage

D0067741

Édition présentée, annotée et commentée
par Florence RENNER
docteur ès lettres
certifiée de lettres modernes

Direction de la collection : Carine GIRAC-MARINIER

Direction éditoriale : Claude NIMMO

Édition : Marie-Hélène CHRISTENSEN

Lecture-correction : Joëlle NARJOLET

Direction artistique : Uli MEINDL

Couverture et maquette intérieure : Serge CORTESI, **Sophie** RIVOIRE , Uli MEINDL

Mise en page : Monique BARNAUD, JOUVE SARAN

Responsable de fabrication : Marlène DELBEKEN

SOMMAIRE

Avant d'aborder l'œuvre

20   La Princesse de Montpensier

Madame de Lafayette

63   Avez-vous bien lu ?

Pour approfondir

AVANT D'ABORDER
L'ŒUVRE

Fiche d'identité de l'auteur

Madame de Lafayette

Nom : Madame de Lafayette, née Marie-Madeleine Pioche de La Vergne.

Naissance : 18 mars 1634.

Famille : fille de Marc Pioche, officier de petite noblesse, qui meurt en 1649 ; et d'Isabelle Péna, sa seconde femme, issue d'une grande famille provençale. Deux sœurs cadettes.

Enfance : à Paris puis au Havre.

Début de carrière : Marie-Madeleine s'intègre rapidement au milieu précieux parisien, et fréquente les endroits à la mode, tels que les salons de Mlle de Scudéry et de l'hôtel de Rambouillet. Elle est liée à la fois à des hommes et à des femmes de lettres, comme Mme de Sévigné et le poète Gilles Ménage, et à des personnalités politiques comme Anne d'Autriche. À l'âge de 21 ans, elle fait un mariage de raison avec un veuf de grande famille, mais désargenté, François de Lafayette, dont elle aura deux fils.

Premiers succès : à partir de 1658, Marie-Madeleine devient l'une des personnalités les plus en vue des salons. Elle continue à étendre son réseau mondain, se rapprochant notamment de Henriette d'Angleterre (future Madame), de l'érudit Huet, du romancier Segrais, et bientôt du moraliste La Rochefoucauld. Lorsqu'en 1662 paraît *La Princesse de Montpensier*, son premier roman, elle ne le revendique pas officiellement, même si tous se doutent qu'elle en est l'auteur. En 1678 paraît *La Princesse de Clèves*, sans nom d'auteur ; mais la campagne publicitaire accompagnant la sortie du livre lui assure un beau succès. Suivront une courte nouvelle, *La Comtesse de Tende*, et des *Mémoires de la cour de France pour les années 1688 et 1689*.

Mort : dans les années 1680, Mme de Lafayette affronte plusieurs deuils et déceptions familiales ; elle finit sa vie dans une retraite pieuse et austère, et meurt le 26 mai 1693.

Pour ou contre
Madame de Lafayette ?

Pour

VOLTAIRE :

« Sa *Princesse de Clèves* et sa *Zaïde* furent les premiers romans où l'on vit les mœurs des honnêtes gens, et des aventures naturelles décrites avec grâce. Avant elle, on écrivait d'un style ampoulé des choses peu vraisemblables. »

Le Siècle de Louis XIV, 1751

BOILEAU :

« Mme de La Fayette est la femme qui écrit le mieux et qui a le plus d'esprit. »

MORILLOT :

« Tout en elle nous attire, la rare distinction de son esprit, la ferme droiture de ses sentiments, et surtout, peut-être, ce que nous devinons au plus profond de son cœur : une souffrance cachée qui a été la source de son génie. »

Le Roman du XVIIe siècle

Contre

Alain NIDERST :

« Mme de Lafayette est aussi cruellement dépourvue que ses contemporains de l'imagination du passé. »

Mme de La Fayette, 1970

Repères chronologiques

Vie et œuvre de Madame de Lafayette	Événements politiques et culturels

Vie et œuvre de Madame de Lafayette

1634
Naissance de Marie-Madeleine Pioche.

1635
Installation à Paris de la famille Pioche.

1648
La famille Pioche réside au Havre.

1649
Mort de Marc Pioche.

1650
Isabelle, sa mère, se remarie avec le chevalier Renaud de Sévigné.

1651
Marie-Madeleine devient demoiselle d'honneur d'Anne d'Autriche ; elle se lie avec le poète Ménage.

1652
Renaud de Sévigné, compromis lors de la Fronde, doit s'exiler en Anjou avec sa famille.

1654
Marie-Madeleine lit les romans de Scudéry. Elle devient l'amie d'Henriette d'Angleterre.

1655
Mariage de Marie-Madeleine avec François de Lafayette.

1656
Mort de sa mère.

1657
Elle se lie avec Mme de Sévigné.

1658
Naissance de son fils Louis.

1659
Naissance de son fils Armand ; Mme de Lafayette ouvre un salon à Paris et se lie d'amitié avec Huet et Segrais.

Événements politiques et culturels

1610-1629
Honoré d'Urfé, *L'Astrée*.

1633
Saint-Cyran est à Port-Royal.

1643
Début de la régence d'Anne d'Autriche.

1649
Scudéry, *Le Grand Cyrus*.

1648
Début de la Fronde.

1650
Mme de Scudéry ouvre son salon ; mort de Descartes.

1652
Fin de la Fronde ; la cour revient à Paris.

1654
Scudéry, *Clélie*.

1656
Segrais, *Les Nouvelles françaises*.

1657
Scarron, *Le Roman comique*.

1659
Molière, *Les Précieuses ridicules*. Paix des Pyrénées.

1661
Début du règne personnel de Louis XIV ; Henriette d'Angleterre épouse Monsieur.

1662
Segrais entre à l'Académie française ; mort de Pascal ; Molière, *L'École des femmes*.

1664
La Rochefoucauld, *Les Maximes*.

1665
Molière, *Dom Juan* ; Spinoza, *L'Éthique* ; mort de Mme de Rambouillet.

Vie et œuvre de Madame de Lafayette	Événements politiques et culturels

1661
Elle suit Henriette d'Angleterre, devenue Madame, à la cour ; elle assiste aux fêtes de Vaux chez Fouquet, qui sera bientôt arrêté.

1662
Parution, sans nom d'auteur, de *La Princesse de Montpensier*.

1663
Avec le roi et la cour, Mme de Lafayette va à Versailles visiter les travaux du nouveau château, commencés un an plus tôt.

1664
Rencontre de La Rochefoucauld.

1668-1671
Rédaction de *Zaïde*, avec La Rochefoucauld et Segrais ; le roman paraîtra sous le nom de Segrais.

1672
Mme de Lafayette commence la rédaction d'un roman d'abord intitulé *Le Prince de Clèves*.

1678
Parution, sans nom d'auteur, de *La Princesse de Clèves*.

1683
Mort de François de Lafayette.

1689
Mme de Lafayette se retire du monde ; elle correspond avec plusieurs directeurs de conscience proches de Port-Royal, tels que Rancé ; elle écrit les *Mémoires de la cour de France pour les années 1688 et 1689*.

1693
Mort de Mme de Lafayette.

1724
Parution posthume de *La Comtesse de Tende*.

1666
Furetière, *Le Roman bourgeois* ; Molière, *Le Misanthrope*.

1668
La Fontaine, premier recueil des *Fables*.

1669
Racine, *Britannicus*.

1670
Mort de Henriette d'Angleterre ; Racine, *Bérénice* ; Pascal, *Pensées* ; Spinoza, *Tractatus*.

1674
Corneille, *Suréna*.

1677
Racine, *Phèdre*.

1679
Mort du cardinal de Retz.

1680
Mort de La Rochefoucauld.

1681
Bossuet, *Discours sur l'Histoire universelle*.

1683
Louis XIV épouse Mme de Maintenon.

1684
Disgrâce de la duchesse de Savoie, protectrice de Mme de Lafayette ; mort de Corneille.

1685
Révocation de l'édit de Nantes.

1686
La Bruyère, *Les Caractères*.

1692
Mort de Gilles Ménage.

1699
Mort de Racine.

Fiche d'identité de l'œuvre

La Princesse de Montpensier

Auteur : Mme de Lafayette, en 1662. Elle a alors vingt-huit ans.

Genre : nouvelle historique et d'apprentissage.

Forme : court récit (142 pages en gros caractères dans l'édition d'origine) ayant un cadre historique réel, et présentant des personnages ayant vraiment existé.

Structure : le récit suit la structure classique du schéma narratif.

Principaux personnages : la princesse de Montpensier, d'abord Marie de Mézières, qui a treize ans lors de son mariage avec le prince. Le duc de Guise, aussi appelé le Balafré, dont elle est amoureuse depuis l'enfance. Le comte de Chabanes (seul personnage inventé de l'œuvre), ami du prince de Montpensier et secrètement amoureux de la princesse.

Sujet : Mlle de Mézières est depuis l'enfance amoureuse du duc de Guise, et fiancée à son frère le duc de Maine. Mais elle va, par devoir, épouser le prince de Montpensier. Un jour, elle revoit par hasard le duc de Guise (accompagné du duc d'Anjou, fils de Catherine de Médicis), et ses sentiments pour lui renaissent. Invités au château, tous les personnages masculins font la cour à la jeune et belle princesse, ce qui suscite la jalousie du prince. Une nuit, le duc de Guise cherche à rejoindre la princesse dans sa chambre ; le prince surprend du bruit, et le duc se serait fait prendre si le comte de Chabanes, ami du prince et intermédiaire entre lui et sa femme, ne s'était fait attraper à sa place. Le prince, croyant qu'il est coupable, le contraint à quitter le château alors que Chabanes est innocent. Ce dernier rejoint Paris, où il mourra assassiné lors de la nuit de la Saint-Barthélemy. Le duc de Guise, qui n'ose plus se présenter devant la princesse, s'éloigne d'elle, et finit même par l'oublier. La princesse au contraire va se laisser mourir de chagrin….

Pour ou contre

La Princesse de Montpensier ?

Pour

Charles SOREL :

« On a aussi imprimé *La Nouvelle de La Princesse de Montpensier*, laquelle vient d'une personne de haute condition, et d'excellent esprit, qui se contente de faire de belles choses, sans que son nom soit publié. »

Bibliothèque Française, 1664

Abbé de VILLARS :

« Avez-vous lu *La Princesse de Montpensier* ? C'est un petit chef-d'œuvre, il a réussi admirablement, et on le lira toujours avec plaisir, parce qu'une grande partie des faiblesses du cœur y sont excellemment ménagées. »

De la délicatesse, 1671

Marcel CUENIN :

« On sait que *La Princesse de Montpensier* est le prototype, et aussi le chef-d'œuvre, de la nouvelle historique. »

Les Désordres de l'amour, 1970

Contre

Alain NIDERST :

« Nous pouvons trouver que l'histoire dans *La Princesse de Montpensier* demeure trop terne et trop sèche ; la brièveté du récit élimine tout pittoresque. »

Mme de La Fayette, 1970

11

Pour mieux lire l'œuvre

✤ Au temps de Madame de Lafayette

Mme de Lafayette, figure intellectuelle de son siècle

Marie-Madeleine Pioche de La Vergne est née dans une famille de petite noblesse, évoluant dans l'entourage de Richelieu, ce qui lui ouvrira les portes de la vie mondaine et de cour parisienne. En 1650, elle devient ainsi dame d'honneur auprès de la reine Anne d'Autriche, et commence sa culture littéraire auprès de l'érudit Ménage, qui lui apprend aussi l'italien et le latin. C'est grâce à Ménage que la jeune Marie-Madeleine va intégrer les grands salons littéraires de l'époque, où tous les beaux esprits se réunissent : celui de Catherine de Rambouillet, de la marquise du Plessis-Bellière et de Madeleine de Scudéry. Là, Marie-Madeleine découvrira la vie des précieuses. La même année, sa mère, veuve, se remarie avec un oncle de la marquise de Sévigné ; les deux femmes commencent alors une amitié qui ne se terminera qu'à leur mort.

C'est à l'âge de vingt et un ans que Marie-Madeleine épouse un Auvergnat de dix-huit ans son aîné, François Motier, comte de Lafayette, dont elle aura deux fils. Sans grande fortune, ce mari lui apporte un nom, mais le mariage ne sera pas très heureux. Assez rapidement après la naissance de leurs enfants, les époux semblent d'ailleurs vivre séparément, lui dans ses domaines familiaux de province, Madeleine restant à Paris, où elle ouvrira avec succès son propre salon. Elle fréquente alors les personnalités historiques et littéraires les plus importantes de son époque : Henriette d'Angleterre, dont elle est la biographe, le cardinal de Retz, mais aussi Racine et Boileau, qu'elle rencontre grâce à son ami de cœur, le moraliste La Rochefoucauld.

C'est grâce à Ménage qu'elle va publier en 1662, de façon anonyme, son premier récit, *La Princesse de Montpensier*. En effet, Thomas Billaine, l'éditeur habituel de Ménage, a pris un « privilège » (l'équivalent d'un contrat aujourd'hui) pour publier ce récit.

Billaine, prévoyant un grand succès commercial, s'associe alors avec deux autres « libraires », Jolly et Sercy, pour le publier ; et le succès sera en effet considérable ! En 1669 et 1671, paraissent les deux tomes de *Zaïde*, attribué à Segrais mais certainement écrit par Mme de Lafayette ; cependant, l'œuvre la plus célèbre de Mme de Lafayette reste *La Princesse de Clèves*, publié en 1678 (toujours anonymement !).

Mme de Lafayette et les précieuses

Au XVIIe siècle, l'aristocratie féodale française subit une profonde remise en question ; les valeurs militaires et héroïques de la France ont été remises en question par les massacres perpétrés durant les guerres de Religion. L'aristocratie se voit progressivement privée de ses privilèges traditionnels, au profit d'une centralisation des pouvoirs de plus en plus affirmée – centralisation que Louis XIV mènera à son apogée. Aussi, comme elle ne peut plus régner par l'épée, c'est désormais par le biais de la culture et de l'intelligence que l'aristocratie va désormais tenter de régner. De cette recherche de l'esprit et du raffinement, la préciosité, mouvement éthique et esthétique tout autant que social, apparaît assurément comme la manifestation la plus spectaculaire et la plus novatrice. Mlle de Scudéry, la marquise de Rambouillet, Mme de Sablé, Mme du Plessis-Guénégaud... autant de femmes qui vont jouer un rôle essentiel dans le rayonnement de ce courant de pensée.

Cette élite cultivée se réunit dans des « salons », ou encore dans ce que l'on appelait les « ruelles », c'est-à-dire ces espaces autour du lit où la maîtresse des lieux reçoit ses amis pour y parler de la mode, des sentiments, des beaux-arts, ou pour jouer à divers jeux lettrés, inventions impromptues de poèmes, etc. Mais, dans cet univers précieux, tout est soigneusement codifié : la conversation a ses lois, tout comme les sentiments, dont on étudie, avant de les classer, les moindres nuances. La célèbre « Carte du Tendre »

Pour mieux lire l'œuvre

présentée par Mlle de Scudéry dans sa *Clélie* (1654) en est un témoignage brillant : véritable cartographie allégorique des divers types d'émotion et d'attachement amoureux, elle exerce sur l'ensemble du mouvement précieux – et sur Mme de Lafayette en particulier – une influence considérable. Aujourd'hui, cette « Carte » peut prêter à sourire, et l'on est souvent tenté d'y voir la manifestation un peu mièvre de rêveries sentimentales ; or, on a bien tort ! car la vision de l'amour de ces précieuses est en réalité fort sombre, et elles manifestent une méfiance frappante non seulement envers la passion, mais même envers sa forme la plus acceptable : le mariage.

Cependant, la grande inquiétude qui parcourt toute l'œuvre de Mme de Lafayette ne puise pas uniquement sa source dans le courant précieux. Contemporaine des grands moralistes de l'âge classique, amie personnelle de La Rochefoucauld, elle partage avec ces auteurs une vision désillusionnée de l'homme et une méfiance constante envers les apparences. La pauvre princesse de Montpensier sera d'ailleurs punie par la mort d'avoir cru à ces apparences trompeuses !

La nouvelle historique en 1662

On a parfois l'impression que le roman n'existait pas vraiment avant le XVIIe siècle. Il n'en est rien bien sûr ! Depuis le XIIe siècle, les romans de chevalerie, par exemple, sont lus et appréciés, mais le genre n'a pas été réellement défini, et il est considéré comme beaucoup moins prestigieux que la tragédie ou l'épopée. Ainsi, au XVIIe siècle, le genre romanesque vise surtout le succès commercial, succès généralement atteint d'ailleurs, puisque les romans suscitent un grand engouement et plusieurs milliers d'entre eux paraissent à l'époque. On peut par exemple citer les romans héroïques de Mlle de Scudéry, comme *Clélie*, qui fut un véritable best-seller à l'époque. Fortement lié à la sensibilité précieuse, le roman héroïque constitue un ample récit en prose et en style élevé, un peu à la manière d'une épopée, dont le sujet de prédilection ne serait pas le courage guerrier, mais l'amour et ses obstacles, et dont l'issue est toujours heureuse. Les héros en sont des personnages de haut rang, vivant une vie exemplaire dans un passé lointain.

Mais un peu avant 1660, le public mondain se lasse de l'univers trop extraordinaire des romans de Scudéry, et commence à vouloir s'identifier à des personnages plus proches de lui. Il s'enthousiasme alors pour un nouveau type de récit, la nouvelle historique. Les premiers principes en sont avancés par Segrais, dont la principale innovation est de ne plus présenter dans ses récits des personnages ayant des noms antiques ou artificiels - l'auteur faisant usage de noms français bien réels.

Ainsi, deux ans seulement après l'impression du dernier tome de *Clélie*, Mme de Lafayette rompt, non pas la première, mais le plus nettement, avec toute la tradition qui la précède. Non seulement elle choisit comme héroïne une princesse du sang, mais elle choisit un personnage proche historiquement de ses lecteurs (l'arrière-grand-mère de Mademoiselle), dont elle alourdit la mémoire d'imprudences qu'elle n'hésite pas à condamner en conclusion à son œuvre.

L'innovation que constitue *La Princesse de Montpensier*

La nouvelle paraît donc en 1662, sans nom d'auteur, ce dont Mme de Lafayette se réjouit : *La Princesse* « court le monde, mais par bonheur, ce n'est pas sous mon nom ! », écrit-elle à son ami Ménage. Il faut dire qu'à l'époque, il était exceptionnel qu'une femme assume ouvertement la publication d'écrits fictionnels, surtout lorsque ceux-ci ne s'inscrivaient pas dans un genre littéraire prestigieux et reconnu comme la tragédie ou l'épopée. Mais avec ou sans nom d'auteur, *La Princesse* qui circule marque les esprits par ses innovations formelles. Première innovation, l'ouvrage est court ; moins de cent cinquante pages au format de l'époque, ce qui permet

Pour mieux lire l'œuvre

aujourd'hui de classer le récit dans le genre de la nouvelle. Mais surtout, l'action ne se déroule pas, comme c'était le cas par exemple dans les romans de Mlle de Scudéry, dans une Antiquité lointaine ou un Orient imaginaire, mais en France, sous le règne de Charles IX. Enfin, l'intrigue est extrêmement simple, en ce qu'elle se résume en une mélancolique histoire d'amour sur fond de guerres de Religion, mené dans un style très épuré, qui caractérisera par la suite le grand roman de Mme de Lafayette, *La Princesse de Clèves*.

✎ L'essentiel

Mme de Lafayette fréquente les personnalités les plus importantes de son époque, ouvrant son propre « salon » ; c'est au sein de cette émulation intellectuelle qu'elle publie une nouvelle rompant avec les traditions, en particulier celles du roman héroïque, *La Princesse de Montpensier*, qui connaît un succès considérable. Son œuvre est influencée par le courant des précieuses et par les moralistes.

✤ L'œuvre aujourd'hui

Importance de l'œuvre dans notre histoire littéraire

On considère aujourd'hui que l'œuvre de Mme de Lafayette, en particulier *La Princesse de Clèves*, se situe à l'un des tournants majeurs de l'histoire du genre romanesque. En effet, l'auteur y renouvelle les lois du roman, en accordant une importance nouvelle à la voix du narrateur et à la psychologie des personnages ; héritière à la fois du grand roman précieux, de la nouvelle historique et de la tragédie, *La Princesse de Clèves* inaugure un nouveau genre, qu'on nommera plus tard le roman d'analyse.

Mais *La Princesse de Montpensier* a également surpris le lectorat de l'époque, car la manière dont l'auteur calque l'histoire du récit sur l'Histoire de France est tout à fait audacieuse. Les événements marquants de cette période interviennent pour rythmer l'action dramatique, jusqu'au dénouement final, où la nuit de la Saint-Barthélemy fournit le cadre de la mort de Chabanes. Dans cette nouvelle historique classique (ce qui la distingue des « aventures » de Segrais, des faux mémoires, ou bien sûr des romans du XIXe siècle), l'auteur s'inspire de faits réels, sans se soucier de superposer des événements ayant eu lieu à des époques différentes, pour n'en retirer que l'aspect instructif. Plaire et instruire, tels sont en effet les maîtres mots à l'époque de Mme de Lafayette, qui saura s'en souvenir dans chacune de ses œuvres.

Lire Mme de Lafayette aujourd'hui

Il faut l'avouer, lire Mme de Lafayette de nos jours peut paraître un peu ardu : les personnages évoqués ne sont pas toujours connus du jeune public, les histoires d'amour et de jalousie entre tous ces différents protagonistes peuvent paraître compliquées, et le style même de l'auteur n'est plus celui auquel on est habitué. Pourtant, une fois que l'on a compris les rapports qui unissent ces personnages les uns aux autres, une fois que notre oreille s'est habituée à la prose si particulière de Mme de Lafayette et qu'on se laisse porter par l'histoire (et par l'Histoire qui rythme le récit !), quel plaisir de pénétrer dans la conscience de cette jeune princesse forcée au mariage par un père ambitieux, et de saisir les subtilités d'un amour si pur.

Les princesses au cinéma

Aujourd'hui, les œuvres de Mme de Lafayette sont la source d'inspiration de nombreux réalisateurs. *La Princesse de Clèves* a inspiré pas moins de cinq films, de celui de Jean Delannoy en 1961 à *La Belle Personne*, de Christophe Honoré en 2008 ou encore *Nous, princesses*

Pour mieux lire l'œuvre

de Clèves, de Régis Sauder en 2011. *La Princesse de Montpensier* quant à elle a permis à Bertrand Tavernier de proposer en 2010 un très beau film d'époque, avec Mélanie Thierry et Gaspard Ulliel dans les rôles de Marie de Mézières et du duc de Guise. C'est Grégoire Leprince-Ringuet qui endosse le rôle du prince de Montpensier, mettant magnifiquement en valeur toute la tension amoureuse liée à son extrême jalousie, que suscite la beauté légendaire de sa jeune épouse.

ᘓ L'essentiel

Les œuvres de Mme de Lafayette ont marqué l'histoire littéraire par leurs innovations, aussi bien formelles que concernant le récit en lui-même. Et si le style de l'auteur peut paraître difficile d'accès au premier abord, ces œuvres inspirent encore aujourd'hui, en raison de la beauté et de la pureté de leurs histoires d'amour, de nombreux réalisateurs.

La Princesse
de Montpensier

Madame de Lafayette

Nouvelle historique et d'apprentissage (1662)

MAISON DE BOURBON

Duc de Montpensier, le père du Prince de Montpensier
(lorsque sa femme décède, il épouse la jeune sœur du duc de Guise)

↓

Prince de Montpensier

MAISON DE GUISE

3 frères : **le Cardinal de Lorraine, le duc d'Aumale et le duc de Guise**
(lorsque ce dernière décède, ce sont ses frères qui s'occupent de ses deux fils)

↓

(Le plus jeune frère, le duc de Maine, est promis à Mlle de Mézières, mais elle est amoureuse de son frère aîné le duc de Guise, qui l'aime aussi)

Duc de Maine (frères) **Duc de Guise**

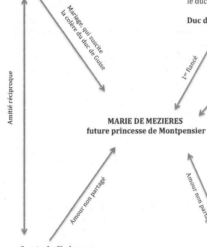

Mariage qui suscite la colère du duc de Guise

Amitié réciproque

1ᵉʳ fiancé

Amour partagé

Haine réciproque (par jalousie)

MARIE DE MEZIERES
future princesse de Montpensier

Amour non partagé

Amour non partagé

Comte de Chabannes

Seul personnage fictif de l'œuvre. Il jouera le rôle de précepteur auprès de Marie de Mézières après son mariage avec le prince de Montpensier.

Duc d'Anjou, frère du roi Charles IX alors au pouvoir, il va lui aussi tomber sous le charme de la princesse de Montpensier

MAISON DE VALOIS et D'ANJOU

Henri II + Catherine de Médicis

↓

| François II | Charles IX | **Duc d'Anjou** (futur Henri III) | Marguerite de Valois (épouse le futur Henri IV) |

Les personnages

LE LIBRAIRE AU LECTEUR[1]

Le respect que l'on doit à l'illustre nom qui est à la tête de ce livre[2], et la considération que l'on doit avoir pour les éminentes personnes qui sont descendues de ceux qui l'ont porté, m'oblige de dire, pour ne pas manquer[3] envers les uns ni les autres en don-
5 nant cette histoire au public, qu'elle n'a été tirée d'aucun manuscrit qui nous soit demeuré du temps des personnes dont elle parle. L'auteur ayant voulu pour son divertissement écrire des aventures inventées à plaisir, a jugé plus à propos de prendre des noms connus dans nos histoires, que de se servir de ceux que l'on trouve
10 dans les romans, croyant bien que la réputation de Madame de Montpensier ne serait pas blessée par un récit effectivement fabuleux[4]. S'il n'est pas de ce sentiment, j'y supplée par cet avertissement, qui sera aussi avantageux à l'auteur, que respectueux pour moi envers les morts qui y sont intéressés, et envers les vivants qui
15 pourraient y prendre part.

---

1. Le libraire est aussi l'éditeur.
2. **L'illustre nom qui est à la tête de ce livre** : la Princesse de Montpensier dont il s'agit ici est l'arrière-grand-mère de la cousine germaine de Louis XIV, toujours vivante au moment où paraît le récit.
3. **Pour ne pas manquer** : manquer de respect.
4. **Un récit effectivement fabuleux** : un récit auquel il est impossible de croire. L'éditeur prend beaucoup de précautions pour prévenir que l'histoire est inventée par l'auteur.

Pendant que la guerre civile déchirait la France sous le règne de Charles IX[1], l'amour ne laissait pas de trouver sa place parmi tant de désordres, et d'en causer beaucoup dans son empire. La fille unique du marquis de Mézières[2], héritière très considérable, et par ses grands biens, et par l'illustre maison d'Anjou, dont elle était descendue, était promise au duc du Maine[3], cadet du duc de Guise, que l'on a depuis appelé *le Balafré*[4]. L'extrême jeunesse de cette grande héritière[5] retardait son mariage, et cependant le duc de Guise, qui la voyait souvent, et qui voyait en elle les commencements d'une grande beauté, en devint amoureux, et en fut aimé. Ils cachèrent leur amour avec beaucoup de soin. Le duc de Guise, qui n'avait pas encore autant d'ambition qu'il en a eu depuis, souhaitait ardemment de l'épouser ; mais la crainte du cardinal de Lorraine, qui lui tenait lieu de père[6], l'empêchait de se déclarer. Les choses étaient en cet état, lorsque la maison de Bourbon, qui ne pouvait voir qu'avec envie l'élévation de celle de Guise, s'apercevant de l'avantage qu'elle recevrait de ce mariage, se résolut de le lui ôter et d'en profiter elle-même, en

1. Charles IX (1550-1574), fils d'Henri II et de Catherine de Médicis, est monté sur le trône en 1560.
2. **La fille unique du marquis de Mézières** : Renée d'Anjou (née en 1550- ?) était la fille de Nicolas d'Anjou, marquis de Mézières, et de Gabrielle de Mareuil. Le couple eut quatre enfants, mais Renée fut la seule à survivre.
3. **Duc du Maine** : Charles de Lorraine (1554-1611), deuxième fils de François de Lorraine et d'Anne d'Este, plus connu sous le nom de duc de Mayenne. Il fut le chef de la Ligue, et un farouche adversaire d'Henri IV.
4. **Duc de Guise** : Henri Ier de Lorraine (1549-1588), frère aîné du précédent, nommé duc de Guise en 1563. Il doit son surnom de Balafré à une blessure reçue à la bataille de Dormans en 1575. Il mourut assassiné sur ordre d'Henri III.
5. **L'extrême jeunesse...** : Renée de Mézières avait treize ans lorsqu'elle tomba amoureuse du duc de Guise. Le duc du Maine, à qui elle était promise, n'en avait que neuf... Nous sommes en 1563.
6. Charles de Lorraine (1524-1574), fils du premier duc de Guise, était cardinal depuis 1547. Après l'assassinat de son frère François de Lorraine, il servit de tuteur à ses neveux, Henri Ier de Lorraine et ses frères (voir notes précédentes).

faisant épouser cette héritière au jeune prince de Montpensier.
20 On travailla à l'exécution de ce dessein avec tant de succès, que les parents de mademoiselle de Mézières, contre les promesses qu'ils avaient faites au cardinal de Lorraine, se résolurent de la donner en mariage à ce jeune prince. Toute la maison de Guise fut extrêmement surprise de ce procédé ; mais le duc en fut accablé
25 de douleur, et l'intérêt de son amour lui fit recevoir ce manquement de parole comme un affront insupportable. Son ressentiment éclata bientôt, malgré les réprimandes du cardinal de Lorraine et du duc d'Aumale[1], ses oncles, qui ne voulaient pas s'opiniâtrer[2] à une chose qu'ils voyaient ne pouvoir empêcher ; et il s'em-
30 porta avec tant de violence, en présence même du jeune prince de Montpensier, qu'il en naquit entre eux une haine qui ne finit qu'avec leur vie. Mademoiselle de Mézières, tourmentée par ses parents d'épouser ce prince, voyant d'ailleurs qu'elle ne pouvait épouser le duc de Guise, et connaissant par sa vertu qu'il était
35 dangereux d'avoir pour beau-frère un homme qu'elle eût souhaité pour mari[3], se résolut enfin de suivre le sentiment de ses proches et conjura M. de Guise de ne plus apporter d'obstacle à son mariage. Elle épousa donc le prince de Montpensier[4] qui, peu de temps après, l'emmena à Champigny, séjour ordinaire des princes
40 de sa maison, pour l'ôter de Paris où apparemment tout l'effort de la guerre allait tomber. Cette grande ville était menacée d'un siège par l'armée des Huguenots[5], dont le prince de Condé était

---

1. **Duc d'Aumale** : Claude de Lorraine (1526-1573), troisième fils du premier duc de Guise, frère de Charles, devenu cardinal, et de François, assassiné (voir note précédente).
2. **S'opiniâtrer** : s'obstiner à tort.
3. **Il était dangereux [...] qu'elle eût souhaité pour mari** : Mlle de Mézières devait normalement épouser le frère du duc de Guise (le duc du Maine), et donc devenir la belle-sœur de celui dont elle est éperdument amoureuse. Ce qui, elle en convient, n'aurait pas été facile à vivre… C'est la raison pour laquelle elle se résout à épouser le prince de Montpensier ; la situation sera plus simple ainsi (selon elle !).
4. Le mariage eut lieu en 1566.
5. **Huguenots** : les protestants (voir Thèmes et prolongements, p. 68-69). Le texte a pour arrière-plan le début de la seconde guerre de Religion ; la maison de Bourbon (protestants), dirigée par Louis Ier de Bourbon, prince de Condé, s'oppose durant cette guerre à la maison de Guise (catholiques).

le chef, et qui venait de déclarer la guerre au roi pour la seconde fois. Le prince de Montpensier, dans sa plus tendre jeunesse, avait
45 fait une amitié très particulière avec le comte de Chabanes[1], qui était un homme d'un âge beaucoup plus avancé que lui, et d'un mérite extraordinaire. Ce comte avait été si sensible à l'estime et à la confiance de ce jeune prince, que, contre les engagements qu'il avait avec le prince de Condé, qui lui faisait espérer des emplois
50 considérables dans le parti des huguenots, il se déclara pour les catholiques, ne pouvant se résoudre à être opposé en quelque chose à un homme qui lui était si cher. Ce changement de parti n'ayant point d'autre fondement, l'on douta qu'il fût véritable, et la reine-mère, Catherine de Médicis[2], en eut de si grands soupçons
55 que, la guerre étant déclarée par les huguenots, elle eut dessein de le faire arrêter ; mais le prince de Montpensier l'en empêcha et emmena Chabanes à Champigny en s'y en allant avec sa femme. Le comte, ayant l'esprit fort doux et fort agréable, gagna bientôt l'estime de la princesse de Montpensier, et en peu de temps, elle
60 n'eut pas moins de confiance et d'amitié pour lui, qu'en avait le prince son mari. Chabanes, de son côté, regardait avec admiration tant de beauté, d'esprit et de vertu qui paraissaient en cette jeune princesse ; et, se servant de l'amitié qu'elle lui témoignait pour lui inspirer des sentiments d'une vertu extraordinaire et digne de la
65 grandeur de sa naissance, il la rendit en peu de temps une des personnes du monde les plus achevées[3]. Le prince étant revenu à la cour[4], où la continuation de la guerre l'appelait, le comte demeura seul avec la princesse, et continua d'avoir pour elle un respect et une amitié proportionnés à sa qualité et à son mérite. La confiance
70 s'augmenta de part et d'autre, et à tel point du côté de la princesse de Montpensier, qu'elle lui apprit l'inclination qu'elle avait eue pour M. de Guise ; mais elle lui apprit aussi en même temps

---

1. **Le comte de Chabanes** : personnage fictif, inventé par l'auteur. Cependant, le nom est connu : la princesse de Montpensier (la vraie !) est la petite-fille de René d'Anjou et d'Antoinette de Chabannes.
2. **Catherine de Médicis (1519-1589)** : italienne, mariée en 1533 au duc d'Orléans, qui deviendra Henri II. Elle devient reine mère en 1559, lorsque son époux meurt.
3. **Les plus achevées** : les plus instruites.
4. **À la cour** : le prince de Montpensier, en raison de la guerre, a dû revenir à Paris ; il a donc laissé sa femme et son ami le comte de Chabanes seuls à Champigny.

qu'elle était presque éteinte, et qu'il ne lui en restait que ce qui était nécessaire pour défendre l'entrée de son cœur à une autre inclination, et que, la vertu se joignant à ce reste d'impression, elle n'était capable que d'avoir du mépris pour ceux qui oseraient avoir de l'amour pour elle. Le comte, qui connaissait la sincérité de cette belle princesse, et qui lui voyait d'ailleurs des dispositions si opposées à la faiblesse de la galanterie[1], ne douta point de la vérité de ses paroles, et néanmoins il ne put se défendre de tant de charmes qu'il voyait tous les jours de si près. Il devint passionnément amoureux de cette princesse ; et, quelque honte qu'il trouvât à se laisser surmonter[2], il fallut céder et l'aimer de la plus violente et de la plus sincère passion qui fut jamais. S'il ne fut pas maître de son cœur, il le fut de ses actions. Le changement de son âme n'en apporta point dans sa conduite, et personne ne soupçonna son amour. Il prit un soin exact, pendant une année entière, de le cacher à la princesse, et il crut qu'il aurait toujours le même désir de le lui cacher. L'amour fit en lui ce qu'il fait en tous les autres ; il lui donna l'envie de parler, et, après tous les combats qui ont accoutumé de se faire en pareilles occasions, il osa lui dire qu'il l'aimait, s'étant bien préparé à essuyer les orages dont la fierté de cette princesse le menaçait ; mais il trouva en elle une tranquillité et une froideur pires mille fois que toutes les rigueurs à quoi il s'était attendu. Elle ne prit pas la peine de se mettre en colère contre lui. Elle lui représenta en peu de mots la différence de leurs qualités et de leur âge, la connaissance particulière qu'il avait de sa vertu et de l'inclination qu'elle avait eue pour le duc de Guise, et surtout ce qu'il devait à l'amitié et à la confiance du prince son mari. Le comte pensa mourir à ses pieds de honte et de douleur. Elle tâcha de le consoler en l'assurant qu'elle ne se souviendrait jamais de ce qu'il venait de lui dire, qu'elle ne se persuaderait jamais une chose qui lui était si désavantageuse et qu'elle ne le regarderait jamais que comme son meilleur ami. Ces assurances consolèrent le comte, comme on se le peut imaginer. Il sentit le mépris des paroles de la princesse dans toute leur étendue, et, le

---

1. **Galanterie** : à l'époque, on appelle aussi galanterie les aventures sexuelles ou les liaisons amoureuses interdites.
2. **Se laisser surmonter** : par l'amour !

lendemain, la revoyant avec visage aussi ouvert que de coutume, son affliction en redoubla de la moitié ; le procédé[1] de la princesse ne la diminua pas. Elle vécut avec lui avec la même bonté qu'elle avait accoutumé. Elle lui reparla, quand l'occasion en fit naître le discours, de l'inclination quelle avait eue pour le duc de Guise ; et, la renommée commençant alors à publier les grandes qualités qui paraissaient en ce prince, elle lui avoua qu'elle en sentait de la joie, et qu'elle était bien aise de voir qu'il méritait les sentiments qu'elle avait eus pour lui[2]. Toutes ces marques de confiance, qui avaient été si chères au comte, lui devinrent insupportables. Il n'osait pourtant le témoigner à la princesse, quoiqu'il osât bien la faire souvenir quelquefois de ce qu'il avait eu la hardiesse de lui dire.

1. **Le procédé** : la manière d'agir de la princesse envers le comte.
2. **La renommée [...] qu'elle avait eus pour lui** : on commence à entendre parler du duc de Guise grâce à son courage lors des combats. La princesse est donc fière d'avoir été amoureuse d'un homme si courageux.

Clefs d'analyse

Action et personnages

1. De quoi le « libraire » (l'éditeur) avertit-il le lecteur ?
2. Selon vous, pourquoi prend-il tant de précautions ?
3. À qui Mlle de Mézières est-elle fiancée au début de l'histoire ?
4. De qui est-elle réellement amoureuse ? Cet amour est-il réciproque ?
5. Quel rapport ce jeune homme entretient-il avec le fiancé de Mlle de Mézières ?
6. Finalement, va-t-elle épouser l'un de ces deux garçons ?
7. Quels sont le nom et le statut social de son mari ?
8. Est-elle heureuse de l'épouser ? Justifiez à l'aide du texte.
9. Quels rapports le prince de Montpensier et le comte de Chabanes entretiennent-ils ?
10. Que va faire Chabanes par amitié pour le prince ?
11. En retour, lorsque la reine veut le faire arrêter, que fait le prince de Montpensier pour sauver Chabanes ?
12. Quels rapports vont s'instaurer entre Chabanes et la princesse de Montpensier ?
13. Quel secret la princesse avoue-t-elle à Chabanes ? Selon elle, où en est-elle de cet amour au moment où elle lui en parle ?
14. Quels sentiments Chabanes finit-il par éprouver pour la princesse ? Laisse-t-il transparaître ses sentiments ? Citez le texte pour justifier.
15. Combien de temps s'écoule entre le moment où Chabanes s'éprend de la princesse de Montpensier, et le moment où il le lui annonce ?
16. Quels sont les arguments que la princesse lui rétorque pour refuser son amour ?
17. À quelle occasion entend-on de nouveau parler du duc de Guise ?

Langue

18. Relevez toutes les expansions nominales qui permettent de décrire les protagonistes principaux (Mlle de Mézières, duc

Clefs d'analyse

de Guise, comte de Chabanes). Quelle image de chacun des personnages est ainsi donnée par l'auteur ?

19. « Le duc de Guise, qui n'avait pas encore autant d'ambition qu'il en a eu depuis, souhaitait ardemment de l'épouser » : à quel type de narrateur avons-nous affaire dans cet extrait ? Justifiez votre réponse et expliquez le sens de cette phrase.

20. « une haine [qui ne finit qu'avec leur vie] » : quelles sont la classe et la fonction du groupe entre crochets ?

Genre ou thèmes

21. Relevez un passage qui prouve que l'auteur condense son récit, en particulier au niveau temporel.

22. Les personnages sont-ils beaucoup décrits physiquement ou moralement ? Pourquoi, selon vous ?

Écriture

23. Inventez le dialogue ayant lieu entre la princesse de Montpensier et le comte de Chabanes lorsque ce dernier lui avoue qu'il est amoureux d'elle. Tout votre texte devra être au discours direct, et vous reformulerez les réponses faites par la princesse à Chabanes.

Pour aller plus loin

24. Créez une frise chronologique, par exemple à partir du site www.frisechrono.fr, en présentant les différents rois de France de Henri II à Louis XIV.

✳ À retenir

L'incipit d'une nouvelle est toujours très condensé : le lecteur apprend en quelques lignes qui sont les personnages principaux et quelle est l'intrigue qu'il va suivre tout au long du récit. Ainsi, on relève souvent des ellipses temporelles, et les descriptions sont faites en quelques traits rapides.

Après deux années d'absence, la paix étant faite[1], le prince de Montpensier revint trouver la princesse sa femme, tout couvert de la gloire qu'il avait acquise au siège de Paris et à la bataille de Saint-Denis. Il fut surpris de voir la beauté de cette princesse dans une si grande perfection, et, par le sentiment d'une jalousie qui lui était naturelle, il en eut quelque chagrin, prévoyant bien qu'il ne serait pas seul à la trouver belle. Il eut beaucoup de joie de revoir le comte de Chabanes, pour qui son amitié n'était point diminuée. Il lui demanda confidemment[2] des nouvelles de l'esprit et de l'humeur de sa femme, qui lui était quasi une personne inconnue, par le peu de temps qu'il avait demeuré avec elle. Le comte, avec une sincérité aussi exacte que s'il n'eût point été amoureux, dit au prince tout ce qu'il connaissait en cette princesse capable de la lui faire aimer ; et il avertit aussi madame de Montpensier de toutes les choses qu'elle devait faire pour achever de gagner le cœur et l'estime de son mari.

Enfin, la passion du comte le portait si naturellement à ne songer qu'à ce qui pouvait augmenter le bonheur et la gloire de cette princesse, qu'il oubliait sans peine l'intérêt qu'ont les amants à empêcher que les personnes qu'ils aiment ne soient dans une parfaite intelligence avec leurs maris[3]. La paix ne fit que paraître. La guerre recommença aussitôt, par le dessein qu'eut le roi de faire arrêter à Noyers le prince de Condé et l'amiral de Châtillon[4] ; et, ce dessein ayant été découvert, l'on commença de nouveau les

---

1. **La paix étant faite** : la paix de Longjumeau date de 1568 ; or, selon le décompte de l'auteur (1563, année du mariage, plus trois ans), nous sommes censés être en 1566.
2. **Confidemment** : en confidence, dans le secret.
3. **Qu'il oubliait sans peine [...] avec leurs maris** : Chabanes, qui veut avant tout le bonheur de la princesse de Montpensier, oublie ses propres intérêts amoureux et fait tout pour que le prince et la princesse s'entendent bien.
4. **Le prince de Condé et l'amiral de Châtillon** : tous deux protestants, ils ont été arrêtés par le roi à Noyers, une ville dans l'Yonne, ce qui relança la guerre.

25 préparatifs de la guerre, et le prince de Montpensier fut contraint
de quitter sa femme, pour se rendre où son devoir l'appelait.
Chabanes le suivit à la cour, s'étant entièrement justifié auprès
de la reine. Ce ne fut pas sans une douleur extrême qu'il quitta
la princesse, qui, de son côté, demeura fort triste des périls où la
30 guerre allait exposer son mari. Les chefs des huguenots s'étaient
retirés à La Rochelle. Le Poitou et la Saintonge étant dans leur
parti, la guerre s'y alluma fortement, et le roi y rassembla toutes
ses troupes. Le duc d'Anjou, son frère, qui fut depuis Henri III[1],
y acquit beaucoup de gloire par plusieurs belles actions, et entre
35 autres par la bataille de Jarnac, où le prince de Condé fut tué.
Ce fut dans cette guerre que le duc de Guise commença à avoir
des emplois considérables et à faire connaître qu'il passait de
beaucoup les grandes espérances qu'on avait conçues de lui[2].
Le prince de Montpensier, qui le haïssait, et comme son ennemi
40 particulier, et comme celui de sa maison, ne voyait qu'avec peine
la gloire de ce duc, aussi bien que l'amitié que lui témoignait le
duc d'Anjou. Après que les deux armées se furent fatiguées par
beaucoup de petits combats, d'un commun consentement on
licencia[3] les troupes pour quelque temps. Le duc d'Anjou demeura
45 à Loches, pour donner ordre à toutes les places qui eussent pu être
attaquées. Le duc de Guise y demeura avec lui ; et le prince de
Montpensier, accompagné du comte de Chabanes, s'en retourna
à Champigny, qui n'était pas fort éloigné de là. Le duc d'Anjou
allait souvent visiter les places qu'il faisait fortifier. Un jour qu'il
50 revenait à Loches par un chemin peu connu de ceux de sa suite[4],
le duc de Guise, qui se vantait de le savoir, se mit à la tête de la
troupe pour servir de guide ; mais, après avoir marché quelque
temps, il s'égara et se trouva sur le bord d'une petite rivière, qu'il

---

1. **Le duc d'Anjou, son frère, qui fut depuis Henri III** : Alexandre-Édouard (1551-
1589), fils du roi Henri II et de Catherine de Médicis, est devenu duc d'Anjou en
1566, et roi de France en 1574 sous le nom d'Henri III.
2. **Les grandes espérances qu'on avait conçues de lui** : Le duc de Guise continue à
faire parler de lui et de son courage lors des combats.
3. **On licencia** : les troupes sont envoyées au repos.
4. **Sa suite** : les hommes qui l'accompagnent.

ne reconnut pas lui-même[1]. Le duc d'Anjou lui fit la guerre[2] de les
avoir si mal conduits ; et, étant arrêtés en ce lieu, aussi disposés à
la joie qu'ont accoutumé de l'être de jeunes princes, ils aperçurent
un petit bateau qui était arrêté au milieu de la rivière, et, comme
elle n'était pas large, ils distinguèrent aisément dans ce bateau
trois ou quatre femmes, et une entre autres qui leur sembla fort
belle, qui était habillée magnifiquement, et qui regardait avec
attention deux hommes qui pêchaient auprès d'elles. Cette aventure donna une nouvelle joie à ces jeunes princes et à tous ceux
de leur suite. Elle leur parut une chose de roman. Les uns disaient
au duc de Guise, qu'il les avait égarés exprès pour leur faire voir
cette belle personne, les autres, qu'il fallait, après ce qu'avait fait
le hasard, qu'il en devînt amoureux ; et le duc d'Anjou soutenait
que c'était lui qui devait être son amant. Enfin, voulant pousser
l'aventure à bout, ils firent avancer dans la rivière de leurs gens
à cheval, le plus avant qu'à se put[3], pour crier à cette dame que
c'était monsieur d'Anjou qui eût bien voulu passer de l'autre côté
de l'eau et qui priait qu'on le vînt prendre. Cette dame, qui était
la princesse de Montpensier, entendant dire que le duc d'Anjou
était là et ne doutant point, à la quantité des gens qu'elle voyait au
bord de l'eau, que ce ne fût lui, fit avancer son bateau pour aller
du côté où il était. Sa bonne mine le lui fit bientôt distinguer des
autres ; mais elle distingua encore plutôt le duc de Guise : sa vue
lui apporta un trouble qui la fit un peu rougir et qui la fit paraître
aux yeux de ces princes dans une beauté qu'ils crurent surnatu-
relle. Le duc de Guise la reconnut d'abord[4], malgré le changement
avantageux qui s'était fait en elle depuis les trois années qu'il ne
l'avait vue. Il dit au duc d'Anjou qui elle était, qui fut honteux
d'abord de la liberté qu'il avait prise ; mais, voyant madame de
Montpensier si belle, et cette aventure lui plaisant si fort, il se
résolut de l'achever ; et, après mille excuses et mille compliments,
il inventa une affaire considérable, qu'il disait avoir au-delà de

---

1. Tout cet épisode est inventé par l'auteur, le duc d'Anjou n'ayant séjourné qu'une
   fois à Champigny, en 1573.
2. **Lui fit la guerre** : il le gronde, mais de manière assez amicale.
3. **Le plus avant qu'à se put** : en avançant le plus qu'ils pouvaient.
4. **D'abord** : d'emblée, aussitôt, immédiatement.

la rivière, et accepta l'offre qu'elle lui fit de le passer dans son
bateau. Il y entra seul avec le duc de Guise, donnant ordre à tous
ceux qui les suivaient d'aller passer la rivière à un autre endroit,
et de les venir joindre à Champigny, que madame de Montpensier
90 leur dit qui n'était qu'à deux lieues de là. Sitôt qu'ils furent dans
le bateau, le duc d'Anjou lui demanda à quoi ils devaient une si
agréable rencontre, et ce qu'elle faisait au milieu de la rivière. Elle
lui répondit, qu'étant partie de Champigny avec le prince son mari,
dans le dessein de le suivre à la chasse, s'étant trouvée trop lasse,
95 elle était venue sur le bord de la rivière, où la curiosité de voir
prendre un saumon qui avait donné dans un filet, l'avait fait entrer
dans ce bateau. M. de Guise ne se mêlait point dans la conversation ; mais, sentant réveiller vivement dans son cœur tout ce que
cette princesse y avait autrefois fait naître, il pensait en lui-même
100 qu'il sortirait difficilement de cette aventure, sans rentrer dans ses
liens[1]. Ils arrivèrent bientôt au bord, où ils trouvèrent les chevaux
et les écuyers de madame de Montpensier, qui l'attendaient. Le
duc d'Anjou et le duc de Guise lui aidèrent à monter à cheval, où
elle se tenait avec une grâce admirable. Pendant tout le chemin,
105 elle les entretint agréablement de diverses choses. Ils ne furent pas
moins surpris des charmes de son esprit, qu'ils l'avaient été de sa
beauté ; et ils ne purent s'empêcher de lui faire connaître qu'ils en
étaient extraordinairement surpris. Elle répondit à leurs louanges
avec toute la modestie imaginable ; mais un peu plus froidement
110 à celles du duc de Guise, voulant garder une fierté qui l'empêchait
de fonder aucune espérance sur l'inclination qu'elle avait eue pour
lui. En arrivant dans la première cour de Champigny, ils trouvèrent
le prince de Montpensier, qui ne faisait que de revenir de la chasse.
Son étonnement fut grand de voir marcher deux hommes à côté
115 de sa femme ; mais il fut extrême, quand, s'approchant de plus
près, il reconnut que c'était le duc d'Anjou et le duc de Guise. La
haine qu'il avait pour le dernier se joignant à sa jalousie naturelle
lui fit trouver quelque chose de si désagréable à voir ces princes
avec sa femme, sans savoir comment ils s'y étaient trouvés, ni ce

---

1. **Il sortirait difficilement de cette aventure, sans rentrer dans ses liens** : le duc de
   Guise comprend qu'il va sans doute retomber amoureux de la princesse…

120 qu'ils venaient faire en sa maison, qu'il ne put cacher le chagrin[1] qu'il en avait. Il en rejeta adroitement la cause sur la crainte de ne pouvoir recevoir un si grand prince selon sa qualité, et comme il l'eût bien souhaité. Le comte de Chabanes avait encore plus de chagrin de voir M. de Guise auprès de madame de Montpensier, 125 que M. de Montpensier n'en avait lui-même : ce que le hasard avait fait pour rassembler ces deux personnes lui semblait de si mauvais augure, qu'il pronostiquait aisément que ce commencement de roman ne serait pas sans suite.

---

1. **Chagrin** : ici, plutôt synonyme de contrariété, voire de colère.

Clefs d'analyse

Action et personnages

1. Combien de temps le prince de Montpensier est-il resté loin de sa femme ?
2. Comment la trouve-t-il en la revoyant ?
3. Quel sentiment cette impression suscite-t-elle en lui ?
4. Quel est le personnage qui connaît le mieux la princesse à ce moment de l'histoire ? Justifiez à l'aide du texte.
5. Quel rôle Chabanes joue-t-il auprès des deux époux lorsque le prince revient de la guerre ?
6. Finalement, pourquoi la guerre va-t-elle reprendre ?
7. Pourquoi le prince de Montpensier reçoit-il ombrage de la renommée du duc de Guise ?
8. De qui le duc de Guise se rapproche-t-il lors de ces guerres ? En quoi est-ce un personnage important ?
9. À quelle occasion la princesse de Montpensier va-t-elle revoir le duc de Guise ?
10. Quel autre personnage important accompagne le duc ?
11. Comment le duc d'Anjou réagit-il en découvrant la princesse de Montpensier ?
12. Comment la princesse réagit-elle en découvrant à son tour le duc de Guise ?
13. De quelles qualités la princesse fait-elle preuve lors du retour en barque avec les deux hommes ? Justifiez à l'aide du texte.
14. Lorsque le prince de Montpensier reconnaît les deux hommes accompagnant sa femme, quels sentiments éprouve-t-il de nouveau ?
15. Comment justifie-t-il auprès du duc d'Anjou le mauvais accueil qu'il ne peut s'empêcher de lui faire ?

Langue

16. « l'intérêt qu'ont les amants à empêcher que les personnes qu'ils aiment ne soient dans une parfaite intelligence avec leurs maris » : quelle est la valeur du présent dans cette phrase ? Relevez d'autres indices qui prouvent la même valeur.
17. « crier à cette dame que c'était monsieur d'Anjou qui [eût bien voulu] passer de l'autre côté de l'eau et qui priait qu'on le [vînt]

prendre » : à quel mode sont les verbes entre crochets ? Quelle valeur ce mode traduit-il ?

18. « Le duc d'Anjou et le duc de Guise lui aidèrent à monter à cheval » : quelles sont la classe et la fonction de « lui » ? Par quoi le remplacerait-on aujourd'hui ?

19. Dans l'épisode de la barque, relevez tous les verbes introducteurs de paroles, et cherchez-en des synonymes.

Genre ou thèmes

20. Comment se traduit l'opposition entre la guerre et le cadre agréable de cette rencontre ?

21. Sur quel nouveau plan la guerre se déplace-t-elle dans cette scène ?

22. Quels sont les personnages en guerre ? Contre qui ? Quel est l'enjeu du combat ?

23. Quelle expression, attribuée à Chabanes, annonce la suite tragique de l'œuvre ?

Écriture

24. Rédigez un paragraphe descriptif d'une quinzaine de lignes dans lequel vous présenterez le cadre bucolique de cette rencontre.

Pour aller plus loin

25. Situez sur une carte de France les villes de Champigny-sur-Veude, Noyers, et Loches, où ont lieu les actions principales du récit.

✳ À retenir

La jalousie du prince de Montpensier est perceptible dès le début de la nouvelle, lorsque celui-ci revoit sa femme devenue très belle. Cette jalousie, mais aussi celle de tous les autres personnages, jouera dans la suite de l'œuvre un rôle majeur, devenant même l'un des moteurs de l'action.

Madame de Lafayette

Madame de Montpensier fit le soir les honneurs de chez elle avec le même agrément qu'elle faisait toutes choses[1]. Enfin elle ne plut que trop à ses hôtes. Le duc d'Anjou, qui était fort galant et fort bien fait, ne put voir une fortune[2] si digne de lui sans la souhaiter ardemment. Il fut touché du même mal que M. de Guise ; et, feignant[3] toujours des affaires extraordinaires, il demeura deux jours à Champigny, sans être obligé d'y demeurer que par les charmes de madame de Montpensier, le prince son mari ne faisant point de violence pour l'y retenir. Le duc de Guise ne partit pas sans faire entendre à madame de Montpensier qu'il était pour elle ce qu'il avait été autrefois[4] : et, comme sa passion n'avait été sue de personne, il lui dit plusieurs fois devant tout le monde, sans être entendu que d'elle, que son cœur n'était point changé : et lui et le duc d'Anjou partirent de Champigny avec beaucoup de regret. Ils marchèrent longtemps tous deux dans un profond silence : mais enfin le duc d'Anjou, s'imaginant tout d'un coup que ce qui faisait sa rêverie pouvait bien causer celle du duc de Guise, lui demanda brusquement s'il pensait aux beautés de la princesse de Montpensier. Cette demande si brusque, jointe à ce qu'avait déjà remarqué le duc de Guise des sentiments du duc d'Anjou, lui fit voir qu'il serait infailliblement son rival, et qu'il lui était très important de ne pas découvrir son amour à ce prince. Pour lui en ôter tout soupçon, il lui répondit, en riant, qu'il paraissait lui-même si occupé de la rêverie dont il l'accusait, qu'il n'avait pas jugé à propos de l'interrompre ; que les beautés de la princesse de Montpensier n'étaient pas nouvelles pour lui ; qu'il s'était accoutumé à en supporter l'éclat du temps qu'elle était destinée à être sa

---

1. Mme de Montpensier reçoit ses invités avec beaucoup de soin et en leur faisant honneur.
2. **Fortune** : ici, aventure galante et amoureuse.
3. **Feignant** : faisant semblant d'avoir.
4. **Il était pour elle ce qu'il avait été autrefois** : le duc de Guise avoue à la princesse qu'il est toujours amoureux d'elle, comme autrefois !

belle-sœur ; mais qu'il voyait bien que tout le monde n'en était pas si peu ébloui. Le duc d'Anjou lui avoua qu'il n'avait encore rien vu
30 qui lui parût comparable à cette jeune princesse, et qu'il sentait bien que sa vue lui pourrait être dangereuse, s'il y était souvent exposé. Il voulut faire convenir le duc de Guise qu'il sentait la même chose ; mais ce duc, qui commençait à se faire une affaire sérieuse de son amour, n'en voulut rien avouer. Ces princes s'en
35 retournèrent à Loches, faisant souvent leur agréable conversation de l'aventure qui leur avait découvert la princesse de Montpensier. Ce ne fut pas un sujet de si grand divertissement dans Champigny. Le prince de Montpensier était mal content de tout ce qui était arrivé, sans qu'il en pût dire le sujet. Il trouvait mauvais que sa
40 femme se fût trouvée dans ce bateau. Il lui semblait qu'elle avait reçu trop agréablement ces princes ; et, ce qui lui déplaisait le plus, était d'avoir remarqué que le duc de Guise l'avait regardée attentivement. Il en conçut dès ce moment une jalousie furieuse, qui le fit ressouvenir de l'emportement qu'il avait témoigné lors de
45 son mariage ; et il eut quelque pensée que, dès ce temps-là même, il en était amoureux. Le chagrin que tous ses soupçons lui causèrent donna de mauvaises heures à la princesse de Montpensier. Le comte de Chabanes, selon sa coutume, prit soin d'empêcher qu'ils ne se brouillassent tout à fait, afin de persuader par là à la prin-
50 cesse combien la passion qu'il avait pour elle était sincère et désintéressée. Il ne put s'empêcher de lui demander quel effet avait produit en elle la vue du duc de Guise. Elle lui apprit qu'elle en avait été troublée, par la honte du souvenir de l'inclination qu'elle lui avait autrefois témoignée ; quelle l'avait trouvé beaucoup
55 mieux fait qu'il n'était en ce temps-là ; et que même il lui avait paru qu'il voulait lui persuader qu'il l'aimait encore[1] ; mais elle l'assura en même temps que rien ne pouvait ébranler la résolution qu'elle avait prise de ne s'engager jamais. Le comte de Chabanes eut bien de la joie d'apprendre cette résolution ; mais rien ne le
60 pouvait rassurer sur le duc de Guise. Il témoigna à la princesse qu'il appréhendait extrêmement que les premières impressions ne

---

1. **Il lui avait paru qu'il voulait lui persuader qu'il l'aimait encore** : il a semblé à la princesse que le duc de Guise a voulu lui faire comprendre qu'il était encore amoureux d'elle.

revinssent bientôt, et il lui fit comprendre la mortelle douleur qu'il aurait, pour leur intérêt commun, s'il la voyait un jour changer de sentiments. La princesse de Montpensier, continuant toujours son procédé avec lui, ne répondait presque pas à ce qu'il lui disait de sa passion, et ne considérait toujours en lui que la qualité du meilleur ami du monde, sans lui vouloir faire l'honneur de prendre garde à celle d'amant.

Les armées étant remises sur pied, tous les princes y retournèrent ; et le prince de Montpensier trouva bon que sa femme s'en vînt à Paris, pour n'être plus si proche des lieux où se faisait la guerre. Les huguenots assiégèrent la ville de Poitiers. Le duc de Guise s'y jeta pour la défendre[1], et il y fit des actions qui suffiraient seules pour rendre glorieuse une autre vie que la sienne. Ensuite la bataille de Moncontour se donna. Le duc d'Anjou, après avoir pris Saint-Jean-d'Angely, tomba malade, et quitta en même temps l'armée, soit par la violence de son mal, soit par l'envie qu'il avait de revenir goûter le repos et les douceurs de Paris, où la présence de la princesse de Montpensier n'était pas la moindre raison qui l'attirât. L'armée demeura sous le commandement du prince de Montpensier ; et, peu de temps après, la paix étant faite, toute la cour se trouva à Paris. La beauté de la princesse effaça toutes celles qu'on avait admirées jusque alors. Elle attira les yeux de tout le monde par les charmes de son esprit et de sa personne. Le duc d'Anjou ne changea pas à Paris les sentiments qu'il avait conçus pour elle à Champigny ; il prit un soin extrême de le lui faire connaître par toutes sortes de soins, prenant garde, toutefois, à ne lui en pas rendre des témoignages trop éclatants, de peur de donner de la jalousie au prince son mari. Le duc de Guise acheva d'en devenir violemment amoureux ; et, voulant, par plusieurs raisons, tenir sa passion cachée, il se résolut de la lui déclarer d'abord, afin de s'épargner tous ces commencements[2] qui font toujours naître le bruit et l'éclat. Étant un jour chez la reine, à une heure où il y

---

1. Le duc de Guise s'est réellement jeté dans cette bataille ; le combat commence en juillet 1569, et le duc de Guise défend la ville de Poitiers jusqu'en septembre. Cet exploit, alors qu'il n'avait que 19 ans, le couvrit de gloire.
2. **Commencements** : ici, indices, commencements de preuves qui trahiraient son amour pour la princesse.

avait très peu de monde, la reine s'étant retirée pour parler d'affaire avec le cardinal de Lorraine, la princesse de Montpensier y
arriva. Il se résolut de prendre ce moment pour lui parler, et s'approchant d'elle :

Je vais vous surprendre, madame, lui dit-il, et vous déplaire,
en vous apprenant que j'ai toujours conservé cette passion qui
vous a été connue autrefois, mais qui s'est si fort augmentée en
vous revoyant, que ni votre sévérité, ni la haine de M. le prince de
Montpensier, ni la concurrence du premier prince du royaume, ne
sauraient lui ôter un moment de sa violence. Il aurait été plus respectueux de vous la faire connaître par mes actions que par mes
paroles ; mais, madame, mes actions l'auraient apprise à d'autres
aussi bien qu'à vous, et je souhaite que vous sachiez seule que je
suis assez hardi pour vous adorer.

La princesse fut d'abord si surprise et si troublée de ce discours,
qu'elle ne songea pas à l'interrompre ; mais ensuite, étant revenue
à elle, et commençant à lui répondre, le prince de Montpensier
entra. Le trouble et l'agitation étaient peints sur le visage de la
princesse ; la vue de son mari acheva de l'embarrasser, de sorte
qu'elle lui en laissa plus entendre que le duc de Guise ne lui en
venait de dire. La reine sortit de son cabinet, et le duc se retira
pour guérir la jalousie de ce prince. La princesse de Montpensier
trouva, le soir, dans l'esprit de son mari tout le chagrin imaginable. Il s'emporta contre elle avec des violences épouvantables,
et lui défendit de parler jamais au duc de Guise. Elle se retira bien
triste dans son appartement, et bien occupée des aventures qui
lui étaient arrivées ce jour-là. Le jour suivant, elle revit le duc
de Guise chez la reine ; mais il ne l'aborda pas, et se contenta
de sortir un peu après elle, pour lui faire voir qu'il n'y avait que
faire quand elle n'y était pas. Il ne se passait point de jour qu'elle
ne reçût mille marques cachées de la passion de ce duc, sans
qu'il essayât de lui en parler, que lorsqu'il ne pouvait être vu de
personne. Comme elle était bien persuadée de cette passion, elle
commença, nonobstant[1] toutes les résolutions qu'elle avait faites
à Champigny, à sentir, dans le fond de son cœur, quelque chose
de ce qui y avait été autrefois. Le duc d'Anjou, de son côté, qui

---

1. **Nonobstant** : malgré.

130 n'oubliait rien pour lui témoigner son amour en tous les lieux où il la pouvait voir, et qui la suivait continuellement chez la reine, sa mère, et la princesse, sa sœur, en était traitée avec une rigueur capable de guérir toute autre passion que la sienne. On découvrit, en ce temps-là, que cette princesse, qui fut depuis la reine de

135 Navarre[1], eut quelque attachement pour le duc de Guise ; et ce qui le fit découvrir davantage fut le refroidissement qui parut du duc d'Anjou pour le duc de Guise[2]. La princesse de Montpensier apprit cette nouvelle, qui ne lui fut pas indifférente, et qui lui fit sentir qu'elle prenait plus d'intérêt au duc de Guise qu'elle ne pensait.

140 M. de Montpensier, son beau-père, épousant alors mademoiselle de Guise, sœur de ce duc[3], elle était contrainte de le voir souvent dans les lieux où les cérémonies des noces les appelaient l'un et l'autre. La princesse de Montpensier ne pouvant plus souffrir[4] qu'un homme que toute la France croyait amoureux de Madame[5],

145 osât lui dire qu'il l'était d'elle, et se sentant offensée, et quasi affligée de s'être trompée elle-même, un jour que le duc de Guise la rencontra chez sa sœur, un peu éloignée des autres, et qu'il lui voulut parler de sa passion, elle l'interrompit brusquement, et lui dit d'un ton de voix qui marquait sa colère :

150 Je ne comprends pas qu'il faille, sur le fondement d'une faiblesse dont on a été capable à treize ans, avoir l'audace de faire l'amoureux d'une personne comme moi, et surtout quand on l'est d'une autre à la vue de toute la cour.

---

1. Il s'agit de Marguerite de Valois (1553-1615), aussi appelée la reine Margot, qui fut effectivement amoureuse du duc de Guise. Par son mariage avec le roi Henri III de Navarre (futur roi de France Henri IV), elle devint reine de Navarre et reine de France lors de l'accession au trône de son mari dont elle fut *démariée* en 1599. Son nom est entaché par l'épisode de la nuit de la Saint-Barthélemy (voir Thèmes et prolongements, p. 68-69).
2. Le duc d'Anjou ne prend pas très bien le fait que sa sœur, Marguerite de Valois, tombe amoureuse du duc de Guise...
3. Le père du prince de Montpensier épouse, malgré la grande différence d'âge, la jeune sœur du duc de Guise. Notre héroïne va donc être amenée à revoir souvent le duc, lors des préparatifs du mariage de son beau-père.
4. **Souffrir** : supporter.
5. **Madame** : le terme, employé avec une majuscule, désigne la sœur du roi ; il s'agit toujours ici de Marguerite de Valois. La princesse de Montpensier est très jalouse car elle croit que le duc de Guise répond à l'amour de Marguerite de Valois.

Le duc de Guise, qui avait beaucoup d'esprit et qui était fort
amoureux, n'eut besoin de consulter personne pour entendre tout
ce que signifiaient les paroles de la princesse. Il lui répondit avec
beaucoup de respect :

J'avoue, madame, que j'ai eu tort de ne pas mépriser l'honneur
d'être beau-frère de mon roi, plutôt que de vous laisser soupçon-
ner un moment que je pouvais désirer un autre cœur que le vôtre ;
mais, si vous voulez me faire la grâce de m'écouter, je suis assuré
de me justifier auprès de vous.

La princesse de Montpensier ne répondit point ; mais elle ne
s'éloigna pas, et le duc de Guise, voyant qu'elle lui donnait l'audience qu'il souhaitait, lui apprit que, sans s'être attiré les bonnes
grâces de Madame par aucun soin, elle l'en avait honoré ; que,
n'ayant nulle passion pour elle, il avait très mal répondu à l'honneur qu'elle lui faisait, jusqu'à ce qu'elle lui eût donné quelque
espérance de l'épouser ; qu'à la vérité, la grandeur où ce mariage
pouvait l'élever l'avait obligé de lui rendre plus de devoirs[1] ; et
que c'était ce qui avait donné lieu au soupçon qu'en avaient eu
le roi et le duc d'Anjou ; que l'opposition de l'un ni de l'autre
ne le dissuadait pas de son dessein ; mais que, si ce dessein lui
déplaisait, il l'abandonnait, dès l'heure même, pour n'y penser de
sa vie[2]. Le sacrifice que le duc de Guise faisait à la princesse lui fit
oublier toute la rigueur et toute la colère avec laquelle elle avait
commencé de lui parler. Elle changea de discours, et se mit à l'entretenir de la faiblesse qu'avait eue Madame de l'aimer la première,
et de l'avantage considérable qu'il recevrait en l'épousant. Enfin,
sans rien dire d'obligeant au duc de Guise, elle lui fit revoir mille
choses agréables, qu'il avait trouvées autrefois en mademoiselle de
Mézières. Quoiqu'ils ne se fussent point parlé depuis longtemps, ils
se trouvèrent accoutumés l'un à l'autre, et leurs cœurs se remirent
aisément dans un chemin qui ne leur était pas inconnu. Ils fini-
rent cette agréable conversation, qui laissa une sensible joie dans

---

1. **La grandeur où ce mariage [...] plus de devoirs** : le duc de Guise ne s'intéresse à
ce mariage possible avec la sœur du roi que par ambition personnelle.
2. **N'y penser de sa vie** : ne plus jamais y penser de sa vie.

l'esprit du duc de Guise. La princesse n'en eut pas une petite[1] de connaître qu'il l'aimait véritablement. Mais, quand elle fut dans son cabinet[2], quelles réflexions ne fit-elle point sur la honte de s'être laissée fléchir si aisément aux excuses du duc de Guise, sur

190 l'embarras où elle s'allait plonger en s'engageant dans une chose qu'elle avait regardée avec tant d'horreur, et sur les effroyables malheurs où la jalousie de son mari la pouvait jeter ! Ces pensées lui firent faire de nouvelles résolutions, mais qui se dissipèrent dès le lendemain par la vue du duc de Guise. Il ne manquait point de

195 lui rendre un compte exact de ce qui se passait entre Madame et lui. La nouvelle alliance de leurs maisons lui donnait occasion de lui parler souvent ; mais il n'avait pas peu de peine à la guérir de la jalousie que lui donnait la beauté de Madame, contre laquelle il n'y avait point de serment qui la pût rassurer. Cette jalousie ser-

200 vait à la princesse de Montpensier à défendre le reste de son cœur contre les soins du duc de Guise, qui en avait déjà gagné la plus grande partie.

---

1. **La princesse n'en eut pas une petite** : la princesse n'eut pas une petite joie (elle éprouve donc une grande joie).
2. **Cabinet** : petite pièce où se trouvait le « cabinet », c'est-à-dire le meuble dans lequel on rangeait ses courriers ; pièce où l'on étudie.

Clefs d'analyse

Action et personnages

1. Au nom de quoi le duc d'Anjou prétend-il pouvoir « posséder » la princesse de Montpensier ?

2. Quel est ce « mal » qui touche M. de Guise, le duc d'Anjou, et finalement tous les hommes qui fréquentent la princesse de Montpensier ?

3. Combien de temps le duc d'Anjou décide-t-il de rester à Champigny ?

4. Le prince de Montpensier le retient-il ? Justifiez à l'aide du texte.

5. À quel moment le duc de Guise comprend-il que son ami le duc d'Anjou est lui aussi amoureux de la princesse de Montpensier ? Comment réagit-il ?

6. Comment la jalousie du prince de Montpensier se traduit-elle après le départ des deux hommes ? Quels reproches fait-il à sa femme ?

7. Qu'avoue la princesse à Chabanes à propos du duc de Guise ? Comment compte-t-elle agir ?

8. Pourquoi le prince de Montpensier décide-t-il d'emmener sa femme avec lui à Paris lorsque la guerre reprend ?

9. Selon le narrateur, pour quelles raisons le duc d'Anjou quitte-t-il les combats pour revenir à Paris ?

10. Dans quel endroit assez incongru le duc de Guise décide-t-il d'avouer à la princesse son amour passionné ?

11. Qui surgit à ce moment-là ? Résumez la scène et ses conséquences en quelques mots.

12. Quelle attitude les ducs de Guise et d'Anjou adoptent-ils vis-à-vis de la princesse de Montpensier ? Celle-ci réagit-elle de la même manière face aux deux hommes ?

13. À quel moment la princesse comprend-elle qu'elle est de nouveau amoureuse du duc de Guise ? Que fait-elle alors ?

14. Relevez des passages qui traduisent la confusion de ses sentiments.

Langue

15. « elle ne plut que trop à ses hôtes » : que signifie cette phrase ? Comment pourriez-vous la reformuler en langage d'aujourd'hui ?

Clefs d'analyse

16. « la concurrence du premier prince du royaume » : à qui renvoie ce complément du nom ? Comment nomme-t-on cette figure de style ?
17. Relevez un passage au discours direct.
18. « Le jour suivant, elle revit le duc de Guise chez la reine » : relevez les compléments circonstanciels de cette phrase et donnez leur fonction.

Genre ou thèmes

19. La tragédie semble s'installer... Relevez une expression de la part de Chabanes qui prouve qu'il pressent la suite malheureuse que va prendre cette histoire entre le duc de Guise et la princesse.

Écriture

20. Réécrivez le passage allant de « Pour lui en ôter tout soupçon, il lui répondit... » à « tout le monde n'en était pas si peu ébloui » au discours direct.
21. À la manière d'une gazette de l'époque, réécrivez l'histoire qui se trame entre Marguerite de Valois et le duc de Guise, sans oublier de raconter les réactions de la princesse de Montpensier.

Pour aller plus loin

22. Faites un exposé sur la vie (trépidante !) de Marguerite de Valois, et sur son rôle dans les guerres de Religion.

> ## ✳ À retenir
>
> Comme dans les tragédies théâtrales classiques, écrites à la même époque que cette nouvelle, le récit distille des indices annonçant la fin dramatique du récit. Souvent, c'est le personnage de Chabanes, le plus âgé et donc le plus sage, mais aussi le seul à ne pas se laisser aveugler par l'amour-propre ou par la jalousie, qui annonce cette fin malheureuse.

Clefs d'analyse

Le mariage du roi avec la fille de l'empereur Maximilien remplit la cour de fêtes et de réjouissances[1]. Le roi fit un ballet, où dansaient Madame et toutes les princesses. La princesse de Montpensier pouvait seule lui disputer le prix de la beauté. Le duc d'Anjou dansait une entrée de Maures[2] ; et le duc de Guise, avec quatre autres, était de son entrée. Leurs habits étaient tous pareils, comme le sont d'ordinaire les habits de ceux qui dansent une même entrée. La première fois que le ballet se dansa, le duc de Guise, devant que de danser[3], n'ayant pas encore son masque, dit quelques mots en passant à la princesse de Montpensier. Elle s'aperçut bien que le prince son mari y avait pris garde, ce qui la mit en inquiétude. Quelque temps après, voyant le duc d'Anjou avec son masque et son habit de Maure, qui venait pour lui parler, troublée de son inquiétude, elle crut que c'était encore le duc de Guise, et s'approchant de lui :

N'ayez des yeux ce soir que pour Madame, lui dit-elle ; je n'en serai point jalouse ; je vous l'ordonne : on m'observe ; ne m'approchez plus.

Elle se retira sitôt qu'elle eut achevé ces paroles. Le duc d'Anjou en demeura accablé comme d'un coup de tonnerre. Il vit, dans ce moment, qu'il avait un rival aimé. Il comprit, par le nom de Madame, que ce rival était le duc de Guise ; et il ne put douter que la princesse sa sœur ne fût le sacrifice qui avait rendu la princesse de Montpensier favorable aux vœux de son rival. La jalousie, le dépit et la rage, se joignant à la haine qu'il avait déjà pour lui,

---

1. Le roi Charles IX épouse en 1570 Élisabeth d'Autriche (1554-1592), la fille de l'empereur Maximilien II et de Marie d'Autriche. L'événement donna lieu à de nombreuses festivités, mais aucun document historique n'évoque précisément le bal que raconte l'auteur, sans doute inventé pour les besoins de son récit.
2. **Une entrée de Maures** : une entrée est une scène de ballet ; ici, la danse est inspirée de la mode arabe et espagnole ; il s'agit là d'un anachronisme, car cette mode, en matière de ballet comme en littérature, est en réalité plus tardive.
3. **Devant que de danser** : avant de se mettre à danser.

firent dans son âme tout ce qu'on peut imaginer de plus violent, et il eût donné sur l'heure quelque marque sanglante de son désespoir, si la dissimulation, qui lui était naturelle, ne fût venue à son secours, et ne l'eût obligé, par des raisons puissantes, en l'état qu'étaient les choses, à ne rien entreprendre contre le duc de Guise. Il ne put toutefois se refuser le plaisir de lui apprendre qu'il savait le secret de son amour ; et l'abordant en sortant de la salle où l'on avait dansé :

C'est trop, lui dit-il, d'oser lever les yeux jusqu'à ma sœur, et de m'ôter ma maîtresse[1]. La considération du roi m'empêche d'éclater ; mais souvenez-vous que la perte de votre vie sera peut-être la moindre chose dont je punirai quelque jour votre témérité.

La fierté du duc de Guise n'était pas accoutumée à de telles menaces ; il ne put néanmoins y répondre, parce que le roi, qui sortait dans ce moment, les appela tous deux ; mais elles gravèrent dans son cœur un désir de vengeance qu'il travailla toute sa vie à satisfaire.

Dès le même soir, le duc d'Anjou lui rendit toutes sortes de mauvais offices auprès du roi. Il lui persuada que jamais Madame ne consentirait d'être mariée avec le roi de Navarre, avec qui on proposait de la marier[2], tant que l'on souffrirait que le duc de Guise l'approchât ; et qu'il était honteux de souffrir qu'un de ses sujets, pour satisfaire à sa vanité, apportât de l'obstacle à une chose qui devait donner la paix à la France. Le roi avait déjà assez d'aigreur contre le duc de Guise[3] : ce discours l'augmenta si fort, que, le voyant le lendemain, comme il se présentait pour entrer au bal chez la reine, paré d'un nombre infini de pierreries, mais plus paré encore de sa bonne mine, il se mit à l'entrée de la porte, et lui demanda brusquement où il allait. Le duc, sans s'étonner, lui dit qu'il venait pour lui rendre ses très humbles services : à quoi le roi répliqua, qu'il n'avait pas besoin de ceux qu'il lui rendait, et

---

1. **Maîtresse** : femme aimée. Ici, la princesse de Montpensier.
2. En réalité, à ce moment de la véritable histoire de France, Marguerite de Valois est promise au roi du Portugal. Mais elle finira quand même par épouser Henri de Bourbon, roi de Navarre en 1572, qui deviendra roi de France en 1589 sous le nom de Henri IV.
3. Le roi ne supporte pas qu'un simple duc issu de la maison de Lorraine puisse prétendre se marier avec une future reine.

se tourna, sans le regarder. Le duc de Guise ne laissa pas d'entrer dans la salle[1], outré, dans le cœur, et contre le roi et contre le duc d'Anjou. Mais sa douleur augmenta sa fierté naturelle, et, par une manière de dépit, il s'approcha beaucoup plus de Madame qu'il n'avait accoutumé ; joint que ce que lui avait dit le duc d'Anjou de la princesse de Montpensier l'empêchait de jeter les yeux sur elle. Le duc d'Anjou les observait soigneusement l'un et l'autre. Les yeux de cette princesse laissaient voir, malgré elle, quelque chagrin, lorsque le duc de Guise parlait à Madame. Le duc d'Anjou, qui avait compris, par ce qu'elle lui avait dit, en le prenant pour M. de Guise, qu'elle avait de la jalousie, espéra de les brouiller, et, se mettant auprès d'elle :

C'est pour votre intérêt, madame, plutôt que pour le mien, lui dit-il, que je m'en vais vous apprendre que le duc de Guise ne mérite pas que vous l'ayez choisi à mon préjudice. Ne m'interrompez point, je vous prie, pour me dire le contraire d'une vérité que je ne sais que trop. Il vous trompe, madame, et vous sacrifie à ma sœur, comme il vous l'a sacrifiée. C'est un homme qui n'est capable que d'ambition ; mais, puisqu'il a eu le bonheur de vous plaire, c'est assez ; je ne m'opposerai pas à une fortune que je méritais sans doute mieux que lui ; je m'en rendrais indigne, si je m'opiniâtrais davantage à la conquête d'un cœur qu'un autre possède. C'est trop de n'avoir pu attirer que votre indifférence : je ne veux pas y faire succéder la haine, en vous importunant plus long-temps de la plus fidèle passion qui fut jamais.

Le duc d'Anjou, qui était effectivement touché d'amour et de douleur, put à peine achever ces paroles, et, quoiqu'il eût commencé son discours dans un esprit de dépit et de vengeance, il s'attendrit, en considérant la beauté de la princesse, et la perte qu'il faisait, en perdant l'espérance d'en être aimé ; de sorte que, sans attendre sa réponse, il sortit du bal, feignant de se trouver mal, et s'en alla chez lui rêver à son malheur. La princesse de Montpensier demeura affligée et troublée, comme on se le peut imaginer. Voir sa réputation et le secret de sa vie entre les mains d'un prince qu'elle avait maltraité, et apprendre par lui, sans pou-

---

1. **Le duc de Guise ne laissa pas d'entrer dans la salle** : le duc entra malgré tout dans la salle.

voir en douter, qu'elle était trompée par son amant, étaient des choses peu capables de lui laisser la liberté d'esprit que demandait un lieu destiné à la joie. Il fallut pourtant demeurer en ce

95 lieu, et aller souper ensuite chez la duchesse de Montpensier, sa belle-mère, qui l'emmena avec elle. Le duc de Guise, qui mourait d'impatience de lui conter ce qu'avait dit le duc d'Anjou le jour précédent, la suivit chez sa sœur. Mais quel fut son étonnement, lorsque, voulant entretenir cette belle princesse, il trouva qu'elle

100 ne lui parlait que pour lui faire des reproches épouvantables ; et le dépit lui faisait faire ces reproches si confusément, qu'il n'y pouvait rien comprendre, sinon qu'elle l'accusait d'infidélité et de trahison. Accablé de désespoir de trouver une si grande augmentation de douleur où il avait espéré de se consoler de tous ses

105 ennuis, et aimant cette princesse avec une passion qui ne pouvait plus le laisser vivre dans l'incertitude d'en être aimé, il se détermina tout d'un coup.

Vous serez satisfaite, madame, lui dit-il ; je m'en vais faire pour vous ce que toute la puissance royale n'aurait pu obtenir de moi.

110 Il m'en coûtera ma fortune ; mais c'est peu de chose pour vous satisfaire.

Sans demeurer davantage chez la duchesse sa sœur il s'en alla trouver, à l'heure même, les cardinaux ses oncles, et, sur le prétexte du mauvais traitement qu'il avait reçu du roi, il leur fit voir

115 une si grande nécessité pour sa fortune à faire paraître qu'il n'avait aucune pensée d'épouser Madame, qu'il les obligea à conclure son mariage avec la princesse de Portien, duquel on avait déjà parlé[1]. La nouvelle de ce mariage fut aussitôt sue par tout Paris. Tout le monde fut surpris, et la princesse de Montpensier en fut

120 touchée de joie et de douleur. Elle fut bien aise de voir par là le pouvoir qu'elle avait sur le duc ; et elle fut fâchée, en même temps, de lui avoir fait abandonner une chose aussi avantageuse que le mariage de Madame. Le duc, qui voulait au moins que l'amour le récompensât de ce qu'il perdait du côté de la fortune, pressa la

125 princesse de lui donner une audience particulière, pour s'éclaircir des reproches injustes qu'elle lui avait faits. Il obtint qu'elle se

---

1. La princesse de Portien, de son vrai nom Catherine de Clèves (1548-1633), épousa effectivement le duc de Guise en septembre 1570.

trouverait chez la duchesse de Montpensier, sa sœur, à une heure que cette duchesse n'y serait pas, et qu'il pourrait l'entretenir en particulier. Le duc de Guise eut la joie de se pouvoir jeter à ses pieds, de lui parler en liberté de sa passion, et de lui dire ce qu'il avait souffert de ses soupçons. La princesse ne pouvait s'ôter de l'esprit ce que lui avait dit le duc d'Anjou, quoique le procédé du duc de Guise la dût absolument rassurer. Elle lui apprit le juste sujet qu'elle avait de croire qu'il l'avait trahie, puisque le duc d'Anjou savait ce qu'il ne pouvait avoir appris que de lui. Le duc de Guise ne savait par où se défendre, et était aussi embarrassé que la princesse de Montpensier à deviner ce qui avait pu découvrir leur intelligence[1]. Enfin, dans la suite de leur conversation, comme elle lui remontrait[2] qu'il avait eu tort de précipiter son mariage avec la princesse de Portien, et d'abandonner celui de Madame, qui lui était si avantageux, elle lui dit qu'il pouvait bien juger qu'elle n'en eût eu aucune jalousie, puisque, le jour du ballet, elle-même l'avait conjuré de n'avoir des yeux que pour Madame. Le duc de Guise lui dit qu'elle avait eu intention de lui faire ce commandement, mais qu'assurément elle ne le lui avait pas fait. La princesse lui soutint le contraire. Enfin, à force de disputer et d'approfondir, ils trouvèrent qu'il fallait qu'elle se fût trompée dans la ressemblance des habits, et qu'elle-même eût appris au duc d'Anjou ce qu'elle accusait le duc de Guise de lui avoir appris. Le duc de Guise, qui était presque justifié dans son esprit par son mariage, le fut entièrement par cette conversation. Cette belle princesse ne put refuser son cœur à un homme qui l'avait possédé autrefois, et qui venait de tout abandonner pour elle. Elle consentit donc à recevoir ses vœux[3], et lui permit de croire qu'elle n'était pas insensible à sa passion. L'arrivée de la duchesse de Montpensier, sa belle-mère, finit cette conversation, et empêcha le duc de Guise de lui faire voir les transports de sa joie.

Quelque temps après, la cour s'en allant à Blois, où la princesse de Montpensier la suivit, le mariage de Madame avec le roi de

---

1. **Ce qui avait pu découvrir leur intelligence** : ce qui avait trahi leur amour.
2. **Remontrait** : disait de nouveau.
3. **Vœux** : promesses d'amour.

160 Navarre y fut conclu[1]. Le duc de Guise, ne connaissant plus de
grandeur ni de bonne fortune que celle d'être aimé de la princesse,
vit avec joie la conclusion de ce mariage, qui l'aurait comblé de
douleur dans un autre temps. Il ne pouvait si bien cacher son
amour, que le prince de Montpensier n'en entrevît quelque chose,
165 lequel, n'étant plus maître de sa jalousie, ordonna à la princesse sa
femme de s'en aller à Champigny. Ce commandement lui fut bien
rude : il fallut pourtant obéir. Elle trouva moyen de dire adieu en
particulier au duc de Guise ; mais elle se trouva bien embarrassée
à lui donner des moyens sûrs pour lui écrire. Enfin, après avoir
170 bien cherché, elle jeta les yeux sur[2] le comte de Chabanes, qu'elle
comptait toujours pour son ami, sans considérer qu'il était son
amant. Le duc de Guise, qui savait à quel point ce comte était ami
du prince de Montpensier, fut épouvanté qu'elle le choisît pour
son confident ; mais elle lui répondit si bien de sa fidélité, qu'elle
175 le rassura. Il se sépara d'elle avec toute la douleur que peut causer
l'absence d'une personne que l'on aime passionnément. Le comte
de Chabanes, qui avait toujours été malade à Paris pendant le
séjour de la princesse de Montpensier à Blois, sachant qu'elle s'en
allait à Champigny, la fut trouver sur le chemin, pour s'en aller
180 avec elle. Elle lui fit mille caresses et mille amitiés, et lui témoigna une impatience extraordinaire de s'entretenir en particulier,
dont il fut d'abord charmé. Mais quels furent son étonnement
et sa douleur, quand il trouva que cette impatience n'allait qu'à
lui conter qu'elle était passionnément aimée du duc de Guise, et
185 qu'elle l'aimait de la même sorte ! Son étonnement et sa douleur
ne lui permirent pas de répondre. La princesse, qui était pleine de
sa passion, et qui trouvait un soulagement extrême à lui en parler,
ne prit pas garde à son silence, et se mit à lui conter jusqu'aux
plus petites circonstances de son aventure. Elle lui dit comme le
190 duc de Guise et elle étaient convenus de recevoir, par son moyen,
les lettres qu'ils devaient s'écrire. Ce fut le dernier coup[3] pour le

---

1. Le mariage, et le traité de paix entre catholiques et protestants qui l'accompagnait,
fut effectivement conclu à Blois en avril 1572. Le mariage religieux eut lieu à
Notre-Dame de Paris en août de la même année.
2. **Elle jeta les yeux sur** : elle pensa au comte.
3. **Ce fut le dernier coup** : ce fut le coup le plus brutal, le plus douloureux.

comte de Chabanes, de voir que sa maîtresse voulait qu'il servît son rival, et qu'elle lui en faisait la proposition comme d'une chose qui lui devait être agréable. Il était si absolument maître de lui-même, qu'il lui cacha tous ses sentiments. Il lui témoigna seulement la surprise où il était de voir en elle un si grand changement. Il espéra d'abord que ce changement, qui lui ôtait toute espérance, lui ôterait aussi toute sa passion ; mais il trouva cette princesse si charmante, sa beauté naturelle étant encore beaucoup augmentée par une certaine grâce que lui avait donnée l'air de la cour, qu'il sentit qu'il l'aimait plus que jamais. Toutes les confidences qu'elle lui faisait sur la tendresse et sur la délicatesse de ses sentiments pour le duc de Guise lui faisaient voir le prix du cœur de cette princesse, et lui donnaient un vif désir de le posséder. Comme sa passion était la plus extraordinaire du monde, elle produisit l'effet du monde le plus extraordinaire, car elle le fit résoudre de porter à sa maîtresse les lettres de son rival.

L'absence du duc de Guise donnait un chagrin mortel à la princesse de Montpensier, et, n'espérant de soulagement que par ses lettres, elle tourmentait incessamment le comte de Chabanes, pour savoir s'il n'en recevait point, et se prenait quasi à lui de n'en avoir pas assez tôt. Enfin, il en reçut par un gentilhomme du duc de Guise, et il les lui apporta à l'heure même, pour ne lui retarder pas sa joie[1] d'un moment. Celle qu'elle eut de les recevoir fut extrême. Elle ne prit pas le soin de la cacher, et lui fit avaler à longs traits tout le poison imaginable, en lui lisant ces lettres et la réponse tendre et galante qu'elle y faisait. Il porta cette réponse au gentilhomme, avec la même fidélité avec laquelle il avait rendu la lettre à la princesse, mais avec plus de douleur. Il se consola pourtant un peu, dans la pensée que cette princesse ferait quelque réflexion sur ce qu'il faisait pour elle, et qu'elle lui en témoignerait de la reconnaissance. La trouvant de jour en jour plus rude pour lui, par le chagrin qu'elle avait d'ailleurs, il prit la liberté de la supplier de penser un peu à ce qu'elle lui faisait souffrir. La princesse, qui n'avait dans la tête que le duc de Guise, et qui ne trouvait que lui seul digne de l'adorer, trouva si mauvais qu'un autre que lui osât penser à elle, qu'elle maltraita bien plus le comte de Chabanes

---

1. **Pour ne lui retarder pas sa joie** : pour ne pas lui retarder sa joie.

en cette occasion, qu'elle n'avait fait la première fois qu'il lui avait parlé de son amour. Quoique sa passion, aussi bien que sa
230 patience, fût extrême, et à toute épreuve, il quitta la princesse et s'en alla chez un de ses amis dans le voisinage de Champigny, d'où il lui écrivit avec toute la rage que pouvait lui causer un si étrange procédé, mais néanmoins avec tout le respect qui était dû à sa qualité ; et, par sa lettre, il lui disait un éternel adieu. La princesse
235 commença à se repentir d'avoir si peu ménagé un homme sur qui elle avait tant de pouvoir ; et, ne pouvant se résoudre à le perdre, non seulement à cause de l'amitié qu'elle avait pour lui, mais aussi par l'intérêt de son amour, pour lequel il lui était tout à fait néces-saire, elle lui manda qu'elle voulait absolument lui parler encore
240 une fois, et, après cela, qu'elle le laissait libre de faire ce qu'il lui plairait. L'on est bien faible quand on est amoureux. Le comte revint, et, en moins d'une heure, la beauté de la princesse de Montpensier, son esprit et quelques paroles obligeantes, le rendi-rent plus soumis qu'il n'avait jamais été, et il lui donna même des
245 lettres du duc de Guise, qu'il venait de recevoir.

Pendant ce temps, l'envie qu'on eut à la cour d'y faire venir les chefs du parti huguenot, pour cet horrible dessein qu'on exécuta le jour de la Saint-Barthélemy[1], fit que le roi, pour les mieux trom-per, éloigna de lui tous les princes de la maison de Bourbon et
250 tous ceux de la maison de Guise. Le prince de Montpensier s'en retourna à Champigny, pour achever d'accabler la princesse sa femme par sa présence. Le duc de Guise s'en alla à la campagne, chez le cardinal de Lorraine, son oncle. L'amour et l'oisiveté mirent dans son esprit un si violent désir de voir la princesse de
255 Montpensier, que, sans considérer ce qu'il hasardait pour elle et pour lui, il feignit un voyage, et, laissant tout son train[2] dans une petite ville, il prit avec lui ce seul gentilhomme qui avait déjà fait plusieurs voyages à Champigny, et il s'y en alla en poste[3]. Comme il n'avait point d'autre adresse que celle du comte de Chabanes, il

---

1. **Le jour de la Saint-Barthélemy** : voir Thèmes et prolongements : « Les guerres de Religion », p. 68-69. L'auteur ouvre et ferme son œuvre sur les guerres de Religion, comme un écho aux guerres amoureuses qui se sont tramées durant tout le récit.
2. **Tout son train** : tous les hommes et les bêtes qui l'accompagnent.
3. **Il s'y en alla en poste** : c'est-à-dire en voiture ordinaire. Le duc de Guise s'abaisse, par amour, à voyager avec des roturiers.

lui fit écrire un billet par ce même gentilhomme, par lequel ce gentilhomme le priait de le venir trouver en un lieu qu'il lui marquait. Le comte de Chabanes, croyant que c'était seulement pour recevoir des lettres du duc de Guise, l'alla trouver ; mais il fut extrêmement surpris, quand il vit le duc de Guise, et il n'en fut pas moins affligé. Ce duc, occupé de son dessein, ne prit non plus garde à l'embarras du comte que la princesse de Montpensier avait fait à son silence lorsqu'elle lui avait conté son amour. Il se mit à lui exagérer sa passion, et à lui faire comprendre qu'il mourrait infailliblement, s'il ne lui faisait obtenir de la princesse la permission de la voir. Le comte de Chabanes lui répondit froidement qu'il dirait à cette princesse tout ce qu'il souhaitait qu'il lui dît, et qu'il viendrait lui en rendre réponse. Il s'en retourna à Champigny, combattu de ses propres sentiments[1], mais avec une violence qui lui ôtait quelquefois toute sorte de connaissance. Souvent il prenait la résolution de renvoyer le duc de Guise sans le dire à la princesse de Montpensier ; mais la fidélité exacte qu'il lui avait promise changeait aussitôt sa résolution. Il arriva auprès d'elle, sans savoir ce qu'il devait faire ; et, apprenant que le prince de Montpensier était à la chasse, il alla droit à l'appartement de la princesse, qui, le voyant troublé, fit retirer aussitôt ses femmes pour savoir le sujet de ce trouble. Il lui dit, en se modérant le plus qu'il lui fut possible, que le duc de Guise était à une lieue de Champigny, et qu'il souhaitait passionnément de la voir. La princesse fit un grand cri à cette nouvelle, et son embarras ne fut guère moindre que celui du comte. Son amour lui présenta d'abord la joie qu'elle aurait de voir un homme qu'elle aimait si tendrement : mais, quand elle pensa combien cette action était contraire à sa vertu, et qu'elle ne pouvait voir son amant qu'en le faisant entrer la nuit chez elle, à l'insu de son mari, elle se trouva dans une extrémité[2] épouvantable. Le comte de Chabanes attendait sa réponse comme une chose qui allait décider de sa vie ou de sa mort. Jugeant de l'incertitude de la princesse par son silence, il prit la parole pour lui représenter tous les périls où elle s'exposerait par cette entrevue ; et, voulant

---

1. **Combattu de ses propres sentiments** : abattu par ses propres sentiments.
2. **Extrémité** : situation.

lui faire voir qu'il ne lui tenait pas ce discours pour ses intérêts, il lui dit :

Si, après tout ce que je viens de vous représenter, madame, votre passion est la plus forte, et que vous désiriez voir le duc de Guise, que ma considération ne vous en empêche point, si celle de votre intérêt ne le fait pas. Je ne veux point priver d'une si grande satisfaction une personne que j'adore, ni être cause qu'elle cherche des personnes moins fidèles que moi pour se la procurer. Oui, madame, si vous le voulez, j'irai quérir le duc de Guise dès ce soir, car il est trop périlleux de le laisser plus longtemps où il est, et je l'amènerai dans votre appartement.

Mais par où et comment, interrompit la princesse ?

Ah ! madame, s'écria le comte, c'en est fait, puisque vous ne délibérez plus que sur les moyens[1]. Il viendra, madame, ce bienheureux amant. Je l'amènerai par le parc : donnez ordre seulement à celle de vos femmes à qui vous vous fiez le plus, qu'elle baisse, précisément à minuit, le petit pont-levis, qui donne de votre antichambre dans le parterre[2], et ne vous inquiétez pas du reste.

En achevant ces paroles, il se leva ; et, sans attendre d'autre consentement de la princesse de Montpensier, il remonta à cheval, et vint trouver le duc de Guise, qui l'attendait avec une impatience extrême. La princesse de Montpensier demeura si troublée, qu'elle fut quelque temps sans revenir à elle. Son premier mouvement fut de faire rappeler le comte de Chabanes, pour lui défendre d'amener le duc de Guise ; mais elle n'en eut pas la force. Elle pensa que, sans le rappeler, elle n'avait qu'à ne point faire abaisser le pont. Elle crut qu'elle continuerait dans cette résolution. Quand l'heure de l'assignation[3] approcha, elle ne put résister davantage à l'envie de voir un amant qu'elle croyait si digne d'elle, et elle instruisit une de ses femmes de tout ce qu'il fallait faire pour introduire le duc de Guise dans son appartement. Cependant[4], et ce duc et le comte de Chabanes approchaient de Champigny ; mais dans un état bien

---

1. **C'en est fait, [...] sur les moyens** : « votre choix est donc fait, puisque vous ne pensez qu'au moyen de le faire venir jusqu'à vous. »
2. **Parterre** : partie du jardin faisant face au bâtiment principal.
3. **L'assignation** : le rendez-vous.
4. **Cependant** : pendant ce temps.

différent : le duc abandonnait son âme à la joie et à tout ce que l'espérance inspire de plus agréable, et le comte s'abandonnait à un désespoir et à une rage qui le poussèrent mille fois à donner de son épée au travers du corps de son rival. Enfin ils arrivèrent au parc
330 de Champigny, où ils laissèrent leurs chevaux à l'écuyer du duc de Guise ; et, passant par des brèches qui étaient aux murailles, ils vinrent dans le parterre. Le comte de Chabanes, au milieu de son désespoir, avait toujours quelque espérance que la raison reviendrait à la princesse de Montpensier, et qu'elle prendrait enfin la
335 résolution de ne point voir le duc de Guise. Quand il vit ce petit pont abaissé, ce fut alors qu'il ne put douter du contraire, et ce fut aussi alors qu'il fut tout prêt à se porter aux dernières extrémités[1] ; mais, venant à penser que, s'il faisait du bruit, il serait ouï[2] apparemment du prince de Montpensier, dont l'appartement donnait
340 sur le même parterre, et que tout ce désordre tomberait ensuite sur la personne qu'il aimait le plus, sa rage se calma à l'heure même, et il acheva de conduire le duc de Guise aux pieds de sa princesse. Il ne put se résoudre à être témoin de leur conversation, quoique la princesse lui témoignât le souhaiter, et qu'il l'eût bien souhaité
345 lui-même. Il se retira dans un petit passage, qui était du côté de l'appartement du prince de Montpensier, ayant dans l'esprit les plus tristes pensées qui aient jamais occupé l'esprit d'un amant. Cependant, quelque peu de bruit qu'ils eussent fait en passant sur le pont, le prince de Montpensier, qui par malheur était éveillé
350 dans ce moment, l'entendit, et fit lever un de ses valets de chambre pour voir ce que c'était. Le valet de chambre mit la tête à la fenêtre, et, au travers de l'obscurité de la nuit, il aperçut que le pont était abaissé. Il en avertit son maître, qui lui commanda en même temps d'aller dans le parc voir ce que ce pouvait être. Un moment après,
355 il se leva lui-même, étant inquiet de ce qu'il lui semblait avoir ouï marcher quelqu'un, et s'en vint droit à l'appartement de la princesse sa femme, qui répondait[3] sur le pont. Dans le moment qu'il approchait de ce petit passage où était le comte de Chabanes, la princesse de Montpensier, qui avait quelque honte de se trouver

---

1. **Tout prêt à se porter aux dernières extrémités** : tout prêt à tuer le duc de Guise !
2. **Ouï** : entendu.
3. **Répondait** : donnait (il s'agit de l'appartement).

seule avec le duc de Guise, pria plusieurs fois le comte d'entrer
dans sa chambre. Il s'en excusa toujours, et, comme elle l'en pres-
sait davantage, possédé de rage et de fureur, il lui répondit si haut
qu'il fut ouï du prince de Montpensier ; mais si confusément que
ce prince entendit seulement la voix d'un homme, sans distinguer
celle du comte. Une pareille aventure eût donné de l'emportement
à un esprit et plus tranquille et moins jaloux : aussi mit-elle d'abord
l'excès de la rage et de la fureur dans celui du prince. Il heurta[1]
aussitôt à la porte avec impétuosité[2], et, criant pour se faire ouvrir,
il donna la plus cruelle surprise du monde à la princesse, au duc
de Guise et au comte de Chabanes. Le dernier, entendant la voix
du prince, comprit d'abord qu'il était impossible de l'empêcher de
croire qu'il n'y eût quelqu'un dans la chambre de la princesse sa
femme, et, la grandeur de sa passion lui montrant en ce moment,
que, s'il y trouvait le duc de Guise, madame de Montpensier aurait
la douleur de le voir tuer à ses yeux, et que la vie même de cette
princesse ne serait pas en sûreté, il résolut, par une générosité sans
exemple, de s'exposer pour sauver une maîtresse ingrate et un rival
aimé. Pendant que le prince de Montpensier donnait mille coups
à la porte, il vint au duc de Guise[3], qui ne savait quelle résolution
prendre, et il le mit entre les mains de cette femme de madame de
Montpensier qui l'avait fait entrer par le pont, pour le faire sortir
par le même lieu, pendant qu'il s'exposerait à la fureur du prince.
À peine le duc était hors de l'antichambre, que le prince, ayant
enfoncé la porte du passage, entra dans la chambre comme un
homme possédé de fureur et qui cherchait sur qui la faire éclater.
Mais quand il ne vit que le comte de Chabanes, et qu'il le vit immobile, appuyé sur la table, avec un visage où la tristesse était peinte,
il demeura immobile lui-même : et la surprise de trouver, et seul
et la nuit, dans la chambre de sa femme l'homme du monde qu'il
aimait le mieux, le mit hors d'état de pouvoir parler. La princesse
était à demi évanouie sur des carreaux[4], et jamais peut-être la fortune n'a mis trois personnes en des états si pitoyables.

---

1. **Heurta** : tapa.
2. **Impétuosité** : rapidité et violence.
3. **Il vint au duc de Guise** : le comte de Chabanes se dirige vers le duc de Guise.
4. **Carreaux** : grands coussins carrés en velours, sur lesquels on s'asseyait.

Enfin, le prince de Montpensier, qui ne croyait pas ce qu'il voyait, et qui voulait démêler ce chaos où il venait de tomber, adressant la parole au comte, d'un ton qui faisait voir qu'il avait encore de l'amitié pour lui :

Que vois-je, lui dit-il ? Est-ce une illusion ou une vérité ? Est-il possible qu'un homme que j'ai aimé si chèrement choisisse ma femme entre toutes les autres femmes, pour la séduire ? Et vous, madame, dit-il à la princesse, en se tournant de son côté, n'était-ce point assez de m'ôter votre cœur et mon honneur, sans m'ôter le seul homme qui me pouvait consoler de ces malheurs ? Répondez-moi l'un ou l'autre, leur dit-il, et éclaircissez-moi d'une aventure que je ne puis croire telle qu'elle me paraît.

La princesse n'était pas capable de répondre, et le comte de Chabanes ouvrit plusieurs fois la bouche sans pouvoir parler.

Je suis criminel à votre égard, lui dit-il enfin, et indigne de l'amitié que vous avez eue pour moi ; mais ce n'est pas de la manière que vous pouvez l'imaginer. Je suis plus malheureux que vous, et plus désespéré ; je ne saurais vous en dire davantage. Ma mort vous vengera, et, si vous voulez me la donner tout à l'heure, vous me donnerez la seule chose qui peut m'être agréable.

Ces paroles, prononcées avec une douleur mortelle et avec un air qui marquait son innocence, au lieu d'éclaircir le prince de Montpensier, lui persuadaient de plus en plus qu'il y avait quelque mystère dans cette aventure, qu'il ne pouvait deviner ; et, son désespoir s'augmentant par cette incertitude :

Ôtez-moi la vie vous-même, lui dit-il, ou donnez-moi l'éclaircissement de vos paroles ; je n'y comprends rien : vous devez cet éclaircissement à mon amitié : vous le devez à ma modération[1] ; car tout autre que moi aurait déjà vengé sur votre vie un affront si sensible[2].

Les apparences sont bien fausses, interrompit le comte.

Ah ! c'est trop, répliqua le prince ; il faut que je me venge, et puis je m'éclaircirai à loisir.

---

1. **À ma modération** : au fait que le prince ait su faire preuve de mesure dans sa conduite.
2. **Sensible** : douloureux.

En disant ces paroles, il s'approcha du comte de Chabanes avec l'action d'un homme emporté de rage. La princesse, craignant quelque malheur (ce qui ne pouvait pourtant pas arriver, son mari n'ayant point d'épée), se leva pour se mettre entre deux.

430 La faiblesse où elle était la fit succomber à cet effort, et, comme elle approchait de son mari, elle tomba évanouie à ses pieds. Le prince fut encore plus touché de cet évanouissement qu'il n'avait été de la tranquillité[1] où il avait trouvé le comte, lorsqu'il s'était approché de lui ; et, ne pouvant plus soutenir la vue de deux

435 personnes qui lui donnaient des mouvements si tristes, il tourna la tête de l'autre côté, et se laissa tomber sur le lit de sa femme, accablé d'une douleur incroyable. Le comte de Chabanes, pénétré de repentir[2] d'avoir abusé d'une amitié dont il recevait tant de marques[3], et, ne trouvant pas qu'il pût jamais réparer ce qu'il

440 venait de faire, sortit brusquement de la chambre, et, passant par l'appartement du prince, dont il trouva les portes ouvertes, il descendit dans la cour ; il se fit donner des chevaux, et s'en alla dans la campagne, guidé par son seul désespoir. Cependant, le prince de Montpensier, qui voyait que la princesse ne revenait point de

445 son évanouissement, la laissa entre les mains de ses femmes, et se retira dans sa chambre avec une douleur mortelle. Le duc de Guise, qui était sorti heureusement[4] du parc, sans savoir quasi ce qu'il faisait, tant il était troublé, s'éloigna de Champigny de quelques lieues[5] ; mais il ne put s'éloigner davantage, sans savoir

450 des nouvelles de la princesse. Il s'arrêta dans une forêt, et envoya son écuyer pour apprendre du comte de Chabanes ce qui était arrivé de cette terrible aventure. L'écuyer ne trouva point le comte de Chabanes ; mais il apprit d'autres personnes que la princesse de Montpensier était extraordinairement malade. L'inquiétude du

455 duc de Guise fut augmentée par ce que lui dit son écuyer ; et, sans la pouvoir soulager, il fut contraint de s'en retourner trouver ses

---

1. **Tranquillité** : ici, pour qualifier l'état du comte de Chabanes qui reste calme en apparence, lorsque le prince menace de le tuer.
2. **Pénétré de repentir** : rempli de honte.
3. **Marques** : preuves.
4. **Heureusement** : avec un hasard favorable.
5. **Lieues** : ancienne mesure servant à calculer les distances, pas toujours de même valeur.

oncles, pour ne pas donner de soupçon par un plus long voyage. L'écuyer du duc de Guise lui avait rapporté la vérité, en lui disant que madame de Montpensier était extrêmement malade ; car il était vrai que, sitôt que ses femmes l'eurent mise dans son lit, la fièvre lui prit si violemment, et avec des rêveries[1] si horribles, que, dès le second jour, l'on craignit pour sa vie. Le prince feignit d'être malade, afin qu'on ne s'étonnât pas de ce qu'il n'entrait pas dans la chambre de sa femme. L'ordre qu'il reçut de s'en retourner à la cour, où l'on rappelait tous les princes catholiques pour exterminer les huguenots, le tira de l'embarras où il était. Il s'en alla à Paris, ne sachant ce qu'il avait à espérer ou à craindre du mal de la princesse sa femme. Il n'y fut pas sitôt arrivé, qu'on commença d'attaquer les huguenots en la personne d'un de leurs chefs, l'amiral de Châtillon ; et, deux jours après, l'on fit cet horrible massacre si renommé par toute l'Europe[2]. Le pauvre comte de Chabanes, qui s'était venu cacher dans l'extrémité de l'un des faubourgs de Paris, pour s'abandonner entièrement à sa douleur, fut enveloppé dans la ruine des huguenots[3]. Les personnes chez qui il s'était retiré l'ayant reconnu, et s'étant souvenues qu'on l'avait soupçonné d'être de ce parti, le massacrèrent cette même nuit qui fut si funeste à tant de gens. Le matin, le prince de Montpensier, allant donner quelques ordres hors la ville, passa dans la rue où était le corps de Chabanes. Il fut d'abord saisi d'étonnement à ce pitoyable spectacle ; ensuite, son amitié se réveillant, elle lui donna de la douleur ; mais le souvenir de l'offense qu'il croyait avoir reçue du comte lui donna enfin de la joie, et il fut bien aise de se voir vengé par les mains de la fortune[4]. Le duc de Guise, occupé du désir de venger la mort de son père, et, peu après, rempli de la joie de l'avoir vengée, laissa peu à peu éloigner de son âme le soin d'apprendre des nouvelles de la princesse de Montpensier ; et, trouvant la marquise de Noirmoutier[5], personne de beaucoup d'esprit et de

---

1. **Rêveries** : délires, voire démence qui s'emparent d'un malade.
2. **Cet horrible massacre si renommé par toute l'Europe** : la fameuse Saint-Barthélemy.
3. **Le comte [...] fut enveloppé dans la ruine des huguenots** : le comte va se trouver au mauvais endroit au mauvais moment....
4. **Par les mains de la fortune** : par le hasard.
5. **La marquise de Noirmoutier** : il s'agit d'une nouvelle maîtresse du duc de Guise.

beauté, et qui donnait plus d'espérance que cette princesse, il s'y
attacha entièrement et l'aima avec une passion démesurée, et qui
490 dura jusqu'à sa mort. Cependant, après que le mal de madame de
Montpensier fut venu au dernier point, il commença à diminuer :
la raison lui revint ; et, se trouvant un peu soulagée par l'absence
du prince son mari, elle donna quelque espérance de sa vie. Sa
santé revenait pourtant avec grande peine, par le mauvais état de
495 son esprit[1] ; et son esprit fut travaillé de nouveau, quand elle se
souvint qu'elle n'avait eu aucune nouvelle du duc de Guise pendant toute sa maladie. Elle s'enquit de ses femmes si elles n'avaient
vu personne, si elles n'avaient point de lettres ; et, ne trouvant rien
de ce qu'elle eût souhaité, elle se trouva la plus malheureuse du
500 monde, d'avoir tout hasardé pour un homme qui l'abandonnait.
Ce lui fut encore un nouvel accablement d'apprendre la mort du
comte de Chabanes, qu'elle sut bientôt par les soins du prince son
mari. L'ingratitude du duc de Guise lui fit sentir plus vivement
la perte d'un homme dont elle connaissait si bien la fidélité. Tant
505 de déplaisirs si pressants[2] la remirent bientôt dans un état aussi
dangereux que celui dont elle était sortie : et, comme madame de
Noirmoutier était une personne qui prenait autant de soin de faire
éclater ses galanteries que les autres en prennent de les cacher,
celles du duc de Guise et d'elle étaient si publiques, que, toute
510 éloignée et toute malade qu'était la princesse de Montpensier, elle
les apprit de tant de côtés, qu'elle n'en put douter[3]. Ce fut le coup
mortel pour sa vie : elle ne put résister à la douleur d'avoir perdu
l'estime de son mari, le cœur de son amant, et le plus parfait ami
qui fut jamais. Elle mourut en peu de jours, dans la fleur de son
515 âge, une des plus belles princesses du monde, et qui aurait été
sans doute la plus heureuse, si la vertu et la prudence eussent
conduit toutes ses actions.

---

1. **Par le mauvais état de son esprit** : les préoccupations qui occupent son esprit
l'empêchent de se rétablir totalement.
2. **De déplaisirs si pressants** : de chagrins si insistants, si violents.
3. **Qu'elle n'en put douter** : la princesse ne peut nier l'aventure amoureuse entre le
duc de Guise et madame de Noirmoutier, car tout le monde en parle, à commencer par la première concernée, qui s'en vante !

Clefs d'analyse

Action et personnages

1. Quel événement ouvre ce dernier moment du texte ?
2. Pourquoi les ducs d'Anjou et de Guise peuvent-ils être confondus par la princesse ?
3. Que fait le duc de Guise avant de commencer sa danse ? Qui remarque cet aparté ?
4. Quel conseil la princesse de Montpensier croit-elle donner au duc de Guise ?
5. En fait, à qui s'adresse-t-elle sans s'en rendre compte ? Qu'est-ce qui l'a trompée ?
6. Que comprend alors le duc d'Anjou ? Comment réagit-il ?
7. De quoi menace-t-il le duc de Guise ?
8. Pourquoi le roi en veut-il au duc de Guise ? Quel affront lui fait-il pour lui prouver sa rancune ?
9. Pourquoi le duc de Guise décide-t-il finalement d'épouser la princesse de Portien ? Que cherche-t-il à prouver ?
10. Comment la princesse de Montpensier réagit-elle à l'annonce de ce mariage ?
11. À quel moment les deux amants comprennent-ils la raison de la jalousie du duc d'Anjou ?
12. Comment le duc de Guise réagit-il à l'annonce du mariage de Madame et du roi de Navarre ? Justifiez.
13. Pourquoi le prince de Montpensier ordonne-t-il à sa femme de retourner à Champigny ?
14. Quel rôle le comte de Chabanes endosse-t-il à ce moment du récit ? Va-t-il accepter de jouer ce rôle ? À quel prix ?
15. Que demande le duc de Guise à la princesse de Montpensier par l'intermédiaire de Chabanes ? Accepte-t-elle ?
16. Comment se termine cette entrevue ? En quoi peut-on dire que l'attitude du comte de Chabanes est héroïque ?
17. Comment le comte va-t-il finir ? Méritait-il cette mort ? Justifiez.
18. Comment le prince réagit-il successivement en découvrant le corps de son ami ?

Langue

19. Quel type de paroles rapportées se trouve davantage dans cette dernière partie de la nouvelle ? Comment pouvez-vous le justifier ?

20. « [elle] lui permit de croire qu'elle n'était pas insensible à sa passion » : quel est le sens réel de cette phrase ? Comment appelle-t-on cette figure de style qui consiste à dire moins pour faire entendre plus ?

21. « Elle lui fit mille caresses et mille amitiés » : comment nomme-t-on cette figure de style qui consiste à exagérer les propos ?

22. « sa passion était la plus extraordinaire du monde » : à quel degré l'adjectif est-il ? Donnez sa classe et sa fonction.

23. « L'on est bien faible quand on est amoureux » : quelle est la valeur de ce présent ?

24. « la princesse de Montpensier était extraordinairement malade » : quelles sont la classe et la fonction d'« extraordinairement » ?

Genre ou thèmes

25. Retrouvez dans le texte les éléments qui permettent d'affirmer que le comte de Chabanes est à la fois celui qui aide la rencontre nocturne entre le duc de Guise et la princesse, et celui qui gâche ce rendez-vous.

Écriture

26. Réécrivez le passage du rendez-vous nocturne entre le duc et la princesse dans un style actuel.

Pour aller plus loin

27. Faites un panneau illustré sur la nuit de la Saint-Barthélemy et présentez cet événement à vos camarades.

> ✳ **À retenir**
>
> Les deux maîtres mots du XVIIe siècle en littérature sont « plaire et instruire ». La fin de la nouvelle en est un beau symbole, par le message de vertu et de prudence que l'auteur délivre en faisant mourir sa jeune et belle héroïne.

L'auteur

Cochez les bonnes réponses :

1. Le nom de naissance de Mme de Lafayette est :
☐ Renée de Mézières
☐ Marie-Madeleine Pioche de La Vergne
☐ Marie de Rabutin-Chantal

2. Avec François de Lafayette, de dix-huit ans son aîné, elle aura :
☐ 2 fils
☐ 2 filles
☐ Aucun enfant

3. Son premier récit publié est :
☐ *La Princesse de Montpensier*
☐ *La Princesse de Clèves*
☐ *Zaïde*

4. Elle a vécu en même temps que :
☐ Jean Racine
☐ Victor Hugo
☐ Émile Zola

5. Elle va être célèbre dans :
☐ les salons littéraires
☐ les salons de coiffure
☐ les salons de thé

6. Elle a appartenu au mouvement :
☐ des précieuses
☐ des moralistes
☐ des classiques

L'œuvre

Avez-vous bien lu ?

1. Dites si ces affirmations sont vraies ou fausses :

a. La jeune Renée de Mézières, riche héritière, est promise au plus jeune encore duc du Maine. Mais trahissant sa promesse par intérêt personnel, son père l'oblige à épouser le prince de Montpensier. ☐ vrai ☐ faux

b. Renée de Mézières est en réalité amoureuse, depuis sa plus tendre enfance, du frère du duc du Maine, à qui elle était d'abord promise en mariage ; il s'agit du duc de Guise, qui l'aime également. ☐ vrai ☐ faux

c. Tous les hommes du récit vont tomber amoureux de la belle princesse de Montpensier, sauf le comte de Chabanes, qui est trop vieux pour elle. ☐ vrai ☐ faux

d. Le duc d'Anjou, frère du roi, et qui deviendra à son tour roi de France, est ami avec le duc de Guise ; or, la découverte de leur passion commune pour la princesse de Montpensier va les brouiller... ☐ vrai ☐ faux

e. Selon le narrateur, la princesse de Montpensier meurt parce qu'elle n'a pas su faire preuve d'audace ni de prudence.
☐ vrai ☐ faux

2. Expliquez le rapport unissant les personnages entre eux (parfois, un même lien peut être utilisé pour différents personnages) : *frère - ami - fils*

a. Le duc de Guise est le frère de ....

b. Le duc d'Anjou est .... de ....

c. Le prince de Montpensier est .... de ....

d. Le duc du Maine est .... de ....

e. Catherine de Médicis est .... de ....

f. Le comte de Chabanes est .... de ....

g. Charles IX est .... de ....

3. Reliez le personnage au moment durant lequel il tombe amoureux de la princesse de Montpensier :

a. Le prince de Montpensier ☐ durant son enfance

b. Le comte de Chabanes ☐ lors d'un voyage en barque

64

c. Le duc de Guise ☐ lorsqu'il découvre qu'il est jaloux des autres prétendants

d. Le duc d'Anjou ☐ pendant le temps où il est précepteur de la princesse

4. **Le récit *La Princesse de Montpensier* appartient à quel genre ? Barrez les réponses fausses.**
   ☐ roman d'apprentissage
   ☐ roman de science-fiction
   ☐ nouvelle historique
   ☐ nouvelle réaliste
   ☐ tragédie classique
   ☐ drame romantique
   ☐ fable
   ☐ conte merveilleux

 # Le contexte de l'œuvre

1. **Associez le bon roi à sa reine :**
   a. Henri II
   b. Charles IX
   c. Henri III (duc d'Anjou)
   d. Henri IV

   ☐ Louise de Lorraine
   ☐ Elisabeth d'Autriche
   ☐ Marguerite de Valois, dite Margot
   ☐ Catherine de Médicis

2. Le comte de Chabanes fait d'abord la guerre du côté des protestants, puis du côté des catholiques... Mais quels sont les autres noms donnés aux protestants à cette époque ? Barrez les termes faux :
   Réformés – Extrémistes – Huguenots – Calvinistes – Luthériens – Évangélistes.

Le contexte de l'auteur

Avez-vous bien lu ?

1. Dites si ces affirmations sont vraies ou fausses, et, le cas échéant, corrigez-les :

   a. Le roi au pouvoir est Louis XVI :

   ☐ vrai   ☐ faux

   ....

   b. Le mouvement littéraire dominant est le romantisme :

   ☐ vrai   ☐ faux

   ....

   c. Les précieuses se réunissent dans des chambres :

   ☐ vrai   ☐ faux

   ....

   d. Les guerres de Religion sont terminées :

   ☐ vrai   ☐ faux

   ....

2. À la manière des précieux (parfois ridicules !), inventez des périphrases pour chacun des termes suivants :

   Exemple : Le miroir ▶ *Le conseiller des grâces*

   a. Le fauteuil ▶ ....

   b. Le lit ▶ ....

   c. Le manteau ▶ ....

   d. Le livre ▶ ....

   e. L'amant ▶ ....

   f. Les parents ▶ ....

3. Le bout-rimé est un poème qui plaisait beaucoup dans les salons littéraires du XVIIᵉ siècle. Il est composé à partir de rimes choisies à l'avance, autour desquelles on construit le reste du poème. Ainsi, pour cet extrait de poème écrit par Molière, les rimes « grenouille », « hypocras », « fatras » et « quenouille » avaient été imposées.

Que vous m'embrassez avec votre grenouille
Qui traîne à ses talons le doux mot d'Hypocras !
Je hais des bouts-rimés le puéril fatras,
Et tiens qu'il vaudrait mieux filer une quenouille.

À vous d'écrire un bout-rimé (2 quatrains) comportant
les rimes suivantes : « princesse », « citrouille », « déesse »,
« grenouille », « château », « oiseau ». Et maintenant, à vous de
choisir les rimes imposées !

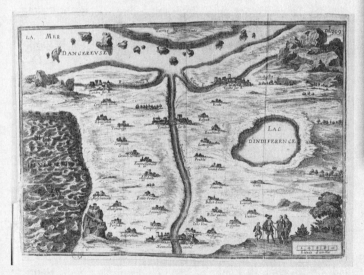

4. Créez, en groupe, une nouvelle « carte du Tendre » ; vous
   devrez indiquer les différents villages par lesquels il faut passer
   avant de pouvoir atteindre à la ville d'« Amour éternel ». Vous
   vous amuserez aussi à mettre des villages dangereux (par
   exemple, le village « d'infidélité » ou celui « d'indifférence »),
   ainsi qu'un ou deux lacs dans lesquels il s'agit de ne pas
   tomber !

Thèmes et prolongements

✣ Les guerres de Religion

Les guerres de Religion sont une série de huit conflits ayant opposé les protestants et les catholiques, entre 1562 et 1598. Tout commence dès le règne de François Ier, en 1534, lorsque ce roi catholique est menacé par les protestants lors de « l'affaire des Placards »...

Protestants et catholiques

Pour bien comprendre ce conflit, il faut d'abord comprendre quelles sont les deux religions qui s'opposent. À dire vrai, les protestants (aussi nommés huguenots, calvinistes ou luthériens) croient au même Dieu que les catholiques ! Mais les deux religions ne sont pas d'accord sur la manière d'honorer ce Dieu, et ils ne font pas tout à fait la même lecture de la Bible. Les protestants en effet accordent une importance primordiale au texte sacré, tandis que les dirigeants catholiques ont tendance, à cette époque, à davantage se soucier des intérêts personnels et financiers qu'ils peuvent tirer du culte.

Lors de ces conflits, le royaume de France est divisé en trois grandes maisons : d'un côté, les Guises, meneurs du parti catholique ; de l'autre, les Montmorency, ancienne et puissante famille de France, partagée entre catholiques et protestants, qui prendront finalement le parti des protestants en s'unissant avec leurs cousins les Châtillon, pour contrer la maison de Guise. Enfin, les Bourbons, princes du sang, descendants en ligne directe de Saint Louis, qui se distinguent comme meneurs du parti protestant, en particulier grâce à Louis de Condé et à son fils, Henri de Condé. Henri de Navarre, futur Henri IV, appartient à cette branche.

De François Ier à Catherine de Médicis

Les premières persécutions contre ceux qui adhèrent à la nouvelle religion que proposent Luther en Allemagne, puis Calvin en France, le protestantisme, commencent dès les années 1520 en France. Le roi François Ier ne voit aucun avantage à favoriser cette nouvelle religion, qui risquerait de saper le pouvoir de ses sujets en les divisant dans leur foi. L'« affaire des Placards », qui éclate en 1534 (on a placardé jusque sur la porte de la chambre royale un violent pamphlet contre la messe) met le feu aux poudres : François Iᵉʳ décide de faire brûler tous les hérétiques ! Son fils Henri II suivra la même ligne de conduite que son père, continuant les persécutions. Pourtant, le nombre de protestants ne cesse d'augmenter en France...

Lorsque la régente Catherine de Médicis gouverne au nom du jeune Charles IX, inquiète de l'influence grandissante des Guises (meneurs catholiques), elle se rapproche des protestants. En 1561, elle tente de concilier les deux religions au colloque de Poissy. Cette initiative échoue, même si la régente, par l'édit de janvier 1562, accorde aux réformés la liberté de culte hors des villes. Mais le 1ᵉʳ mars de la même année, à Wassy, les Guises massacrent les protestants coupables de célébrer leur culte à l'intérieur des murs de la cité. C'est le début de trente années de guerre civile...

La nuit de la Saint-Barthélemy

Les deux partis rivaliseront de cruauté, lors de conflits entrecoupés de périodes de paix plus ou moins stables. Les causes de la Saint-Barthélemy, qui déclenche la quatrième guerre, sont nombreuses et complexes. Retenons simplement que pendant les festivités qui suivent le mariage de Marguerite de Valois (catholique) avec le roi de Navarre Henri de Bourbon (protestant), l'amiral de Coligny est victime d'une tentative d'assassinat. Les protestants venus en nombre à Paris pour le mariage réclament vengeance. En réaction, les Guises organisent le massacre général des protestants parisiens le jour de la Saint-Barthélemy (24 août 1572) avec l'aide des milices urbaines fanatisées par les curés de la ville. Il y a au moins 3 000 morts.

Il faudra attendre le 13 avril 1598 pour que soit signé l'édit de Nantes, qui autorise les protestants à pratiquer leur culte en France..., édit que Louis XIV (bien mal conseillé) va révoquer en 1685 !

Pour approfondir

✤ Les précieuses et la préciosité

On appelle du nom de « précieuses » les femmes appartenant à la société aristocratique française du début du XVIIe siècle, et qui entreprirent de rendre le langage et les manières de l'époque plus raffinées... parfois jusqu'à l'excès !

Les salons littéraires et la Carte du Tendre

À la fois mode littéraire et culturelle, la préciosité apparaît dans les sociétés aristocratiques françaises, en réaction contre la grossièreté des mœurs et du langage qui sévit alors à la cour d'Henri IV. Ce mouvement correspond aussi à un retour à la mode de l'amour courtois médiéval. Les « salons littéraires » étaient principalement dirigés par des femmes, et se tenaient dans les ruelles, c'est-à-dire dans un espace situé autour du lit de la maîtresse de maison, qui recevait... allongée !

Ce mouvement de pensée est en quelque sorte inauguré par la marquise de Rambouillet, qui reçoit dans sa « chambre bleue » dès 1608. Vers 1650, la relève est assurée par Mlle de Scudéry, qui devient le chef de file du mouvement. De 1654 à 1660, cette jeune intellectuelle publie un grand roman héroïque, *Clélie*, dans lequel apparaît la « Carte du Tendre » (voir p. 67). Cette carte présente les différents chemins pour parvenir à l'amour, partant de la ville de Nouvelle-Amitié pour arriver à la ville de Tendre. À la fois jeu de société qui occupait les habitués du salon du samedi, et véritable manifeste du mouvement, cette carte, qui aujourd'hui peut prêter à sourire par son aspect un peu mièvre, pose en réalité des questions plus profondes qu'il n'y paraît : né d'un hasard ou d'une pulsion, l'amour peut-il se construire ? ou n'est-il qu'une passion fatale contre laquelle nous n'avons aucune arme ? La carte est caractéristique de la préciosité : elle cherche à faire sortir les hommes de l'égoïsme et de la brutalité, leur apprendre l'estime, le respect, le raffinement. Elle connut un immense succès !

Précieuses et précieux

Les salons reçoivent aussi bien des hommes que des femmes, appartenant à l'aristocratie : Richelieu, La Rochefoucauld, parfois Corneille, Mme de Sévigné et Mme de Lafayette, etc. Tous se donnent des noms romanesques ; ainsi, Mme de Rambouillet se fait appeler par l'anagramme de son prénom, *Arthénice*, tandis que Mlle de Scudéry se retrouve sous le nom de *Sapho*.

La recherche d'un beau langage

Les précieuses sont soucieuses de purifier le langage, qu'elles jugent parfois trop grossier, et elles auront en cela une grande influence sur la littérature et la langue de leur époque. Elles vont inventer une sorte de nouveau langage, aux nombreux effets de style, que seuls les initiés peuvent comprendre. Ce langage très recherché pourra parfois tourner au ridicule, ce dont ne manquera pas de se moquer Molière dans *Les Précieuses ridicules*. On se souvient par exemple que Magdelon, dans cette pièce, demande à sa servante Marotte « le conseiller des grâces » au lieu de simplement lui demander le miroir ! Mais elles ont aussi inventé de nouveaux mots que l'on utilise toujours à notre époque, comme « féliciter », « s'enthousiasmer », « bravoure », « anonyme », « incontestable », « pommade »...

Pour approfondir

✤ Les moralistes au XVIIᵉ siècle

> « Je rends au public ce qu'il m'a prêté [...] ; il peut regarder avec loisir ce portrait que j'ai fait de lui d'après nature, et s'il se connaît quelques-uns des défauts que je touche, s'en corriger. C'est l'unique fin que l'on doit se proposer en écrivant, et le succès aussi que l'on doit moins se promettre. » (La Bruyère.)

Les moralistes

On appelle moralistes les écrivains qui, à partir du XVIIᵉ siècle, décrivent et critiquent les mœurs de leur époque et développent une réflexion sur la nature humaine. Le terme « moraliste » apparaît pour la première fois dans un dictionnaire en 1690. Parmi les grands moralistes du siècle, on peut citer La Rochefoucauld, La Fontaine, ou encore La Bruyère, qui définit ainsi son rôle dans le *Discours sur Théophraste* : « je me renferme seulement dans cette science qui décrit les mœurs, qui examine les hommes, et qui développe leurs caractères ». Le rôle des moralistes est donc bien à la fois d'observer les hommes, et de les conduire à se corriger.

Cependant, si le mot fait son apparition à la fin du XVIIᵉ siècle, il existe depuis l'Antiquité des écrivains qui s'occupent de critiquer les mœurs des hommes, pour les amener à plus de sagesse et de vertu morale. On peut citer Plutarque, Théophraste, Cicéron, ou encore Sénèque. Au XVIᵉ siècle, Montaigne ouvre déjà la voie aux penseurs du XVIIᵉ, et bien sûr, les moralistes ne s'éteignent pas à la fin du XVIIᵉ siècle ; au contraire, les philosophes des Lumières sont à leur manière des moralistes, et jusqu'à nos jours, on trouve dans la littérature d'idées des écrivains que l'on pourrait qualifier ainsi.

Morale et formes brèves

Mais revenons au XVIIᵉ siècle... Les romanciers et les dramaturges y sont, aussi bien que les moralistes, intéressés par « l'anatomie de tous les replis du cœur », pour reprendre une expression de La Rochefoucauld. En ce sens, on pourrait presque dire que tous les

Pour approfondir

écrivains du siècle sont des moralistes ! C'est la raison pour laquelle on va réserver le terme de moraliste aux écrivains qui favorisent les formes brèves, tels que les caractères (série de portraits littéraires), la maxime, l'adage, les nouvelles courtes, etc. Autant de formes littéraires qui se caractérisent par leur autonomie, et par leur désir de plaire au public de lecteurs.

Plaire et instruire

L'écrivain se doit en effet de suivre le précepte d'Horace, qui affirme dans son *Art poétique* : « il obtient tous les suffrages celui qui unit l'utile à l'agréable, et plaît et instruit en même temps ». L'un des plus grands auteurs alliant utile et agréable est bien sûr Molière, qui cherche avant tout à faire rire son public pour l'amener à corriger ses défauts ; mais on pense aussi à La Fontaine, qui invente une cour pleine d'animaux pour instruire le Dauphin tout en le divertissant, ou même à Mme de Lafayette, qui cherche par ses nouvelles à plaire à un public instruit, tout en l'amenant à toujours suivre des principes de vertu. On peut d'ailleurs citer, comme exemple de morale, la fin de *La Princesse de Montpensier* : « Elle mourut en peu de jours, dans la fleur de son âge, une des plus belles princesses du monde, et qui aurait été sans doute la plus heureuse, si la vertu et la prudence eussent conduit toutes ses actions. »

L'idéal de l'honnête homme

Cette vogue d'écriture à portée morale se justifie en partie par la pensée dominante du siècle, qui vise à ce que l'on a appelé « l'idéal de l'honnête homme ». L'honnête homme, c'est celui qui sait vivre en société, en se gardant de choquer par un comportement agressif, ou même par sa mauvaise humeur. Maître de lui-même, cet individu brille par sa conversation intelligente et la finesse de sa culture (on rejoint ici les principes propres à la préciosité...). C'est cet idéal de vie en société que les moralistes du XVIIe siècle cherchent à nous faire atteindre.

Pour approfondir

Textes et images

✤ La promenade en barque

La nouvelle de Mme de Lafayette propose une très belle scène de passage en barque de la rivière. Bien plus tard, les auteurs et les peintres du XIXe siècle ont fait de ce thème un « lieu commun », c'est-à-dire une scène récurrente dans leurs œuvres, thème mis à la mode grâce aux guinguettes des bords de Marne ou de Seine, qu'ils appréciaient beaucoup.

Documents :

❶ Zola, *Un mariage d'amour*, 1866.

❷ Maupassant, *Une partie de campagne*, 1881.

❸ Manet, *Argenteuil*, huile sur toile, 1874.

❹ Caillebotte, *Les Canotiers ramant sur l'Yerres*, huile sur toile, 1877.

❺ Monet, *La Barque à Giverny*, huile sur toile, 1887.

❶ *[Jacques et Suzanne sont amants ; un jour, ils décident de noyer le mari de Suzanne, Michel, pour enfin vivre leur amour au grand jour.]*

Un jour, ils décidèrent le mari à faire une partie de campagne. On alla à Corbeil, et là, lorsque le dîner eut été commandé, Jacques proposa et fit accepter une promenade en canot sur la Seine. Il prit les rames et descendit la rivière, tandis que ses compagnons chantaient et riaient comme des enfants.

Quand la barque fut en pleine Seine, cachée derrière les hautes futaies d'une île, Jacques saisit brusquement Michel et essaya de le jeter à l'eau. Suzanne cessa de chanter ; elle détourna la tête, pâle, les lèvres serrées, silencieuse et frissonnante. Les deux hommes luttèrent un instant sur le bord de la barque qui s'enfonçait en craquant. Michel, surpris, ne pouvant comprendre, se défendit, muet, avec l'instinct d'une bête qu'on attaque ; il mordit Jacques à la joue, enleva presque le morceau, et tomba dans la rivière en appelant sa femme avec rage et terreur. Il ne savait pas nager.

Alors Jacques, prenant Suzanne dans ses bras, se jeta à l'eau de façon à faire chavirer la barque. Puis il se mit à crier, à appeler au secours. Il soutenait la jeune femme, et, comme il était excellent nageur, il atteignit aisément la rive, où plusieurs personnes se trouvaient déjà rassemblées.

La terrible comédie était jouée.

❷ [*La famille Dufour passe une journée dans une guinguette, près de la Seine. Ils y rencontrent des canotiers, qui proposent à la mère et à la fille Dufour d'aller faire une promenade en yole, une sorte d'embarcation propulsée par des avirons.*]

La jeune fille, assise dans le fauteuil du barreur, se laissait aller à la douceur d'être sur l'eau. Elle se sentait prise d'un renoncement de pensées, d'une quiétude de ses membres, d'un abandonnement d'elle-même, comme envahie par une ivresse multiple. Elle était devenue fort rouge avec une respiration courte. Les étourdissements du vin, développés par la chaleur torrentielle qui ruisselait autour d'elle, faisaient saluer sur son passage tous les arbres de la berge. Un besoin vague de jouissance, une fermentation du sang parcouraient sa chair excitée par les ardeurs de ce jour ; et elle était aussi troublée dans ce tête-à-tête sur l'eau, au milieu de ce pays dépeuplé par l'incendie du ciel, avec ce jeune homme qui la trouvait belle, dont l'œil lui baisait la peau, et dont le désir était pénétrant comme le soleil.

Leur impuissance à parler augmentait leur émotion, et ils regardaient les environs. Alors, faisant un effort, il lui demanda son nom. — « Henriette, dit-elle. — Tiens ! moi je m'appelle Henri », reprit-il.

Le son de leur voix les avait calmés ; ils s'intéressèrent à la rive. L'autre yole s'était arrêtée et paraissait les attendre. Celui qui la montait cria : — « Nous vous rejoindrons dans le bois ; nous allons jusqu'à Robinson, parce que Madame a soif. » — Puis il se coucha sur les avirons et s'éloigna si rapidement qu'on cessa bientôt de le voir.

❸

Étude des textes

Savoir lire

1. À quel mouvement littéraire les auteurs de ces deux textes ont-ils appartenu ?
2. Quels éléments, dans les extraits, permettent de justifier l'appartenance à ce mouvement ?
3. Les deux passages racontent-ils le même type de scène ? Justifiez, en résumant chacun des extraits.
4. Relevez les champs lexicaux dominant les deux textes, et justifiez-les.
5. « La terrible comédie était jouée » (doc. 1) : que signifie cette expression ? Comment nomme-t-on cette figure de style ?
6. « ce pays dépeuplé par l'incendie du ciel » (doc. 2) : que signifie cette expression ? Comment nomme-t-on cette figure de style ?

Savoir faire

7. À la manière de Zola, rédigez la suite de ce passage ; vous décrirez en particulier les réactions des gens présents sur la berge, ainsi que celles de Suzanne et de Jacques, et vous direz si les amants vivent enfin heureux.
8. À la manière de Maupassant, rédigez la suite de ce passage : que va-t-il se passer entre les deux jeunes gens ?
9. Choisissez l'une de ces courtes nouvelles, lisez-la en intégralité et présentez-la sous forme de résumé à vos camarades.

✛ Étude des images

Savoir analyser

1. De quel extrait pourriez-vous rapprocher le tableau de Manet, *Argenteuil* ? Justifiez votre réponse.
2. En quoi peut-on dire que Caillebotte est un peintre « réaliste » ? Répondez en analysant l'angle de vue du tableau (doc. 4), ainsi que ce qui y est représenté.
3. Comment nommerait-on ce type d'angle de vue en littérature ?

4. Analysez la composition et les contrastes de couleur dans le tableau de Monet (doc. 5). Quels sont les éléments du tableau mis en valeur par le peintre ?

Savoir faire

5. Argenteuil, Yerres, Giverny... Situez ces différents endroits sur une carte de l'Ile-de-France.
6. Rédigez un texte d'une vingtaine de lignes ayant pour cadre le tableau de Manet (doc. 3) ou celui de Monet (doc. 5). Vous respecterez la description des personnages.

Pour approfondir

✤ Scènes de bal

La scène de bal est un lieu commun en littérature (ce que l'on nomme un « topos romanesque »), et l'on trouve ce type de descriptions dans un grand nombre d'œuvres, à travers les siècles et les pays. C'est souvent l'occasion pour les deux protagonistes du récit, qui s'aperçoivent pour la première fois, de tomber amoureux. Mais c'est aussi un lieu suscitant les convoitises.

Documents :

❶ Mme de Lafayette, *La Princesse de Clèves*, 1678.

❷ Charles Perrault, *Cendrillon*, 1697.

❸ Maupassant, *La Parure*, 1884.

❹ École franco-flamande, *Bal du duc de Joyeuse*, huile sur toile, vers 1582.

❺ Photogramme extrait du film *La Princesse de Clèves*, Jean Delannoy, 1961.

❶ Elle passa tout le jour des fiançailles chez elle à se parer, pour se trouver le soir au bal et au festin royal qui se faisait au Louvre. Lorsqu'elle arriva, l'on admira sa beauté et sa parure ; le bal commença et, comme elle dansait avec M. de Guise, il se fit un assez grand bruit vers la porte de la salle, comme de quelqu'un qui entrait et à qui on faisait place. Mme de Clèves acheva de danser, et pendant qu'elle cherchait des yeux quelqu'un qu'elle avait dessein de prendre, le roi lui cria de prendre celui qui arrivait. Elle se tourna et vit un homme qu'elle crut d'abord ne pouvoir être que M. de Nemours, qui passait par-dessus quelque siège pour arriver où l'on dansait. Ce prince était fait d'une sorte qu'il était difficile de n'être pas surprise de le voir quand on ne l'avait jamais vu, surtout ce soir-là, où le soin qu'il avait pris de se parer augmentait encore l'air brillant qui était dans sa personne ; mais il était difficile aussi de voir Mme de Clèves pour la première fois sans avoir un grand étonnement. M. de Nemours fut tellement surpris de sa beauté que, lorsqu'il fut proche d'elle, et qu'elle lui fit la révérence, il ne put s'empêcher de donner des marques de son admiration. Quand ils commencèrent à danser, il s'éleva dans la salle un murmure de louanges.

② Elle promit à sa marraine qu'elle ne manquerait pas de sortir du bal avant minuit. Elle part, ne se sentant pas de joie. Le fils du roi, qu'on alla avertir qu'il venait d'arriver une grande princesse qu'on ne connaissait point, courut la recevoir. Il lui donna la main à la descente du carrosse, et la mena dans la salle où était la compagnie. Il se fit alors un grand silence ; on cessa de danser, et les violons ne jouèrent plus, tant on était attentif à contempler les grandes beautés de cette inconnue. On n'entendait qu'un bruit confus :
« Ah ! qu'elle est belle ! »
Le roi même, tout vieux qu'il était, ne laissait pas de la regarder, et de dire tout bas à la reine qu'il y avait longtemps qu'il n'avait vu une si belle et si aimable personne. [...] Le fils du roi la mit à la place la plus honorable, et ensuite la prit pour la mener danser. Elle dansa avec tant de grâce, qu'on l'admira encore davantage. On apporta une fort belle collation, dont le jeune prince ne mangea point, tant il était occupé à la considérer. Elle alla s'asseoir auprès de ses sœurs et leur fit mille honnêtetés ; elle leur fit part des oranges et des citrons que le prince lui avait donnés, ce qui les étonna fort, car elles ne la connaissaient point.
Lorsqu'elles causaient ainsi, Cendrillon entendit sonner onze heures trois quarts ; elle fit aussitôt une grande révérence à la compagnie, et s'en alla le plus vite qu'elle put.

③ Le jour de la fête arriva. Mme Loisel eut un succès. Elle était plus jolie que toutes, élégante, gracieuse, souriante et folle de joie. Tous les hommes la regardaient, demandaient son nom, cherchaient à être présentés. Tous les attachés du cabinet voulaient valser avec elle. Le ministre la remarqua. Elle dansait avec ivresse, avec emportement, grisée par le plaisir, ne pensant plus à rien, dans le triomphe

Pour approfondir

de sa beauté, dans la gloire de son succès, dans une sorte de nuage de bonheur fait de tous ces hommages, de toutes ces admirations, de tous ces désirs éveillés, de cette victoire si complète et si douce au cœur des femmes. Elle partit vers quatre heures du matin. Son mari, depuis minuit, dormait dans un petit salon désert avec trois autres messieurs dont les femmes s'amusaient beaucoup. Il lui jeta sur les épaules les vêtements qu'il avait apportés pour la sortie, modestes vêtements de la vie ordinaire, dont la pauvreté jurait avec l'élégance de la toilette de bal. Elle le sentit et voulut s'enfuir, pour ne pas être remarquée par les autres femmes qui s'enveloppaient de riches fourrures.

4

5

Pour approfondir

Textes et images

Étude des textes

Savoir lire

1. Relevez, dans les trois extraits, les champs lexicaux communs, et expliquez pourquoi on les retrouve dans chaque texte.
2. Comment les convives du bal réagissent-ils en voyant les héroïnes de chaque extrait ?
3. Relevez dans le texte de Mme de Lafayette (doc. 1) tous les éléments qui permettent de mettre en place l'attente du lecteur.
4. Que se passe-t-il à la fin des textes de Perrault et Maupassant (doc. 2 et 3) ? Comment comprendre l'importance du bal pour ces personnages ?

Savoir faire

5. Faites le portrait de l'une de ces héroïnes ; vous rédigerez une quinzaine de lignes en étant attentif à décrire le personnage dans un texte organisé, en utilisant un vocabulaire le plus varié possible. Vous prendrez en compte à la fois la description physique et celle des vêtements.
6. Avec l'aide du professeur documentaliste, cherchez d'autres extraits de scènes de bal dans la littérature française et étrangère, et faites-en la lecture à vos camarades. Vous pourrez ensuite comparer les différentes scènes que vous avez trouvées, pour mettre au jour leurs points communs et leurs différences.

✣ Étude des images

Savoir analyser

1. Quels rapprochements pouvez-vous faire entre les deux documents iconographiques ?
2. Analysez la composition et les contrastes de couleur dans le document 4. Quels sont les éléments mis en valeur par le peintre ?

Savoir faire

3. Décrivez le plus précisément possible la robe de la princesse de Clèves (doc. 5).

4. Faites des recherches sur Internet sur le tableau de l'école franco-flamande, *Bal du duc de Joyeuse*, et précisez sous forme d'exposé oral qui sont les personnages au centre de l'œuvre, pourquoi le bal a lieu, et qui se trouve dans la salle de bal.

5. Avec l'aide de votre professeur d'arts plastiques et du professeur documentaliste, recherchez d'autres tableaux représentant des scènes de bal, à différentes époques de l'histoire de l'art. Vous les présenterez sous forme de panneau ou de document Powerpoint à la classe.

Pour approfondir

Vers le brevet

Sujet 1 : Mme de Lafayette, *La Princesse de Montpensier*. De « L'armée demeura sous le commandement du prince de Montpensier » à « bien occupée des aventures qui lui étaient arrivées ce jour-là » (l. 80 à 120, p. 38 à 39).

Questions

I. La princesse et ses courtisans

1. Où a lieu ce passage ?

2. « peu de temps après [...] à Paris » : relevez dans cet extrait tous les compléments circonstanciels et donnez leur fonction.

3. Quelles sont les qualités de la princesse de Montpensier ?

4. Quels sont les personnages masculins qui témoignent de l'amour pour la princesse. Relevez des éléments précis du texte.

5. Relevez les passages qui présentent le prince de Montpensier comme un homme jaloux.

6. Quel est le terme répété deux fois dans l'extrait, dans deux classes grammaticales différentes, qui permet de caractériser l'amour du duc de Guise pour la princesse ? Analysez l'effet produit par l'emploi de ce terme en matière d'amour.

7. À quel autre moment du passage ce terme se retrouve-t-il ? Que qualifie-t-il alors ?

8. « Elle lui en laissa plus entendre que le duc de Guise ne lui en venait de dire » : que signifie ce passage ? Pourquoi la princesse réagit-elle ainsi ?

II. Une déclaration enflammée

9. Quel est l'objet des paroles du duc de Guise ?

10. Pour quelles raisons ces paroles devraient-elles à la fois surprendre la princesse et lui déplaire ?

11. Quelle raison avance-t-il par rapport au fait qu'il doive lui avouer cet amour plutôt que de le lui prouver ?
12. Quels sont les « concurrents » auxquels le duc de Guise fait référence ?
13. Le « premier prince du royaume » : à qui cette expression renvoie-t-elle ? Comment nomme-t-on cette figure de style ?
14. La princesse de Montpensier est-elle heureuse des déclarations faites par le duc de Guise ? Justifiez votre réponse à l'aide du texte.

Réécriture

Réécrivez le passage allant de « Il se résolut de prendre ce moment pour lui parler, et s'approchant d'elle » à « ne sauraient lui ôter un moment de sa violence » au discours indirect. Vous ferez toutes les modifications nécessaires.

Rédaction

Le prince de Montpensier interrompt la princesse alors qu'elle s'apprête à répondre au duc de Guise. Imaginez que le prince n'apparaît pas, et rédigez, au discours direct, la conversation qui a lieu entre la princesse et le duc. Vous utiliserez le registre soutenu, et toutes les marques du discours direct.

Petite méthode pour la rédaction

– Lorsqu'on vous demande de rédiger un texte au discours direct, vous devez tout simplement écrire un dialogue ! Vous devez alors être très attentif aux règles typographiques du discours direct : tiret pour introduire les paroles, passage à la ligne à chaque changement d'interlocuteur, et présence de verbes introducteurs de parole, parfois mis en incise (au milieu des paroles rapportées). Il faut bien sûr penser à varier les verbes de parole : « dire », « répondre », « rétorquer », « demander », « s'exclamer », etc.
– Ici, faites attention à utiliser un registre soutenu, tout en gardant un style assez simple et compréhensible.

Questions

I. Madame Loisel

1. « Elle était plus jolie que toutes, élégante, gracieuse, souriante et folle de joie » : relevez tous les adjectifs qui caractérisent Mme Loisel. Sont-ils tous à mettre sur le même plan ? En quoi le dernier adjectif a-t-il une valeur particulière ?

2. Même phrase : Comment nomme-t-on cette figure de style ? Relevez-en deux autres dans le passage. Quel effet cette figure de style produit-elle ?

3. Comment se traduit l'intérêt des hommes pour Mme Loisel ? Citez le texte.

4. « Elle dansait [avec ivresse], [avec emportement] » : donnez la classe et la fonction des groupes entre crochets.

5. « cette victoire si complète et si douce au cœur des femmes » : de quelle « victoire » s'agit-il exactement ? À quel type de degré les adjectifs sont-ils ?

6. Que fait le mari de Mme Loisel ? Quelle image nous en est donnée par le narrateur ?

7. « Son mari, depuis minuit, dormait dans un petit salon désert avec trois autres messieurs dont les femmes s'amusaient beaucoup » : relevez tous les compléments circonstanciels dans cette phrase, et donnez leur fonction.

8. Mme Loisel est-elle heureuse d'être au bal ? Justifiez votre réponse à l'aide d'éléments précis du texte.

II. Retour à la réalité

9. « Il lui jeta sur les épaules les vêtements […] de la toilette de bal » : relevez toutes les expansions nominales des deux occurrences du mot « vêtements » dans cette phrase, et donnez leur nature et leur fonction.

10. De quelle sorte de vêtements s'agit-il ? À quel autre type de vêtements, présentés dans le texte, s'opposent-ils ?

11. Quelle est la réaction de Mme Loisel lorsque son mari lui passe son manteau ? Comment expliquez-vous cette réaction ?

12. Qu'est-ce que cette dernière réaction traduit du caractère de Mme Loisel ?

Réécriture

« Il lui jeta sur les épaules les vêtements qu'il avait apportés pour la sortie, modestes vêtements de la vie ordinaire, dont la pauvreté jurait avec l'élégance de la toilette de bal » : remplacez les deux occurrences du terme « vêtements » par le mot « veste », et faites toutes les modifications nécessaires.

Rédaction

Avant que Mme Loisel quitte le bal, le ministre, qui a remarqué sa grande beauté, l'interpelle. Rédigez un texte à la manière de Maupassant, dans lequel vous raconterez l'entrevue entre ces deux personnages. Vous devrez utiliser des passages de narration et des passages au discours direct.

Petite méthode pour la rédaction

- Lorsqu'un travail de rédaction vous demande de rédiger un texte « à la manière de », vous devez être très attentif au type de narrateur utilisé, ainsi qu'au registre de langue.

- Vous devez aussi reproduire certains procédés d'écriture caractéristiques du style de l'auteur. Par exemple, Maupassant, dans cet extrait, utilise de nombreuses énumérations. Vous devez donc vous aussi en faire usage.

Vers le brevet

Outils de lecture

Action : ensemble des événements qui ont lieu les uns après les autres et qui font avancer l'histoire.

Antithèse : figure destinée à faire valoir le contraste de deux éléments opposés.

Auteur : personne réelle, historique, qui écrit le texte. L'auteur ne doit pas être confondu avec le narrateur, qui prend en charge le récit, et n'est qu'une instance inventée, créée par l'auteur.

Champ lexical : ensemble de mots ou d'expressions renvoyant à la même notion.

Dénouement : événement venant dénouer une intrigue et marquant ainsi la résolution de l'action.

Ellipse : éléments du récit passés sous silence, qui produit un effet de raccourci.

Éponyme : le personnage éponyme est celui qui donne son nom à l'ouvrage.

Euphémisme : manière de s'exprimer visant à adoucir ce qui est dit.

Hyperbole : figure de style consistant à mettre l'accent sur une idée ou sur une chose en l'exprimant de manière exagérée.

Incipit : début d'un récit, dans lequel l'auteur présente généralement les personnages, le cadre spatio-temporel et l'intrigue.

Litote : figure de style consistant à mettre l'accent sur une idée ou sur une chose en atténuant délibérément son expression, faisant ainsi entendre plus en disant moins.

Narrateur : personne ou personnage « racontant », c'est-à-dire assumant la responsabilité du récit. On distinguera le narrateur extérieur à l'histoire (le récit se fait donc à la troisième personne du singulier) du narrateur intérieur à l'histoire (qui est un témoin participant à l'action, le récit se faisant donc à la première personne du singulier).

Niveau de langage : manière de s'exprimer. On en distingue généralement trois : le niveau de langage familier ou populaire (ex. : « j'me suis pris une de ces claques ! »), le niveau de langage courant (ex. : « j'ai très mal pris mon échec »), et le niveau de langage soutenu (ex. : « j'ai essuyé un cruel revers »).

Nouvelle : forme de roman abrégé au cadre réaliste (contrairement à celui du conte), et dont l'action resserrée suit le plus souvent le développement d'une situation de crise jusqu'à sa résolution.

Omniscient : qui sait tout.

Péripétie : événement imprévu et décisif, qui aboutit à un renversement de situation.

Point de vue (focalisation) : point de vue depuis lequel est conduite la narration. On distingue la focalisation zéro (dans le cas d'un narrateur omniscient), la focalisation interne (dans le cas d'un narrateur ne disant jamais que ce que sait tel ou tel personnage) et la focalisation externe (dans le cas d'un narrateur évoquant le comportement d'un personnage dont il ne peut connaître les sentiments et les pensées).

Portrait : description physique et/ou morale d'un personnage. Dans le cadre d'une nouvelle, les portraits sont souvent très rapidement brossés.

Préciosité : forme de sociabilité mondaine s'accompagnant d'une réflexion intellectuelle et esthétique axée sur le raffinement des sentiments, de leur analyse et de leur expression.

Prolepse : anticipation narrative. Dans le déroulement d'un récit, fait d'insérer une scène qui a pourtant eu lieu plus tard.

Protagoniste : personnage qui agit au premier plan, personnage principal.

Quiproquo : situation qui résulte d'un malentendu.

Sentence : formulation frappante d'une assertion générale porteuse d'une vérité le plus souvent morale.

Tragique : nature de ce qui semble dicté par la fatalité, et de ce dont la représentation suscite terreur et pitié.

Vraisemblance : qualité de ce qui est plausible, de ce qui semble vrai (que cela soit vrai ou faux). L'exigence de vraisemblance est une composante fondamentale de l'esthétique classique ; elle est alors conçue comme une condition *sine qua non* du plaisir du lecteur (ou du spectateur).

Bibliographie et filmographie

Éditions et autres ouvrages de Mme de Lafayette

Romans et nouvelles, éd. A. Niderst, Paris, Garnier, « Classiques Garnier », 1989.

La Princesse de Clèves et La Princesse de Montpensier, éd. Ch. Biet et P. Ronzeaud, Paris, Magnard, « Texte et contextes », 1989.

La Princesse de Montpensier, Préface de Jacques Perrin, éd. Pocket, « Classiques », 2010.

La Princesse de Clèves, éd. Larousse, « Petits Classiques », 2010.

Ouvrages et articles généraux

Roger Duchêne, *Madame de La Fayette*, Fayard, 2000.

Roger Francillon, *L'Œuvre romanesque de Mme de Lafayette*, Paris, Corti, 1973.

Albert Béguin, Préface à *La Princesse de Clèves*, suivie de *La Princesse de Montpensier*, Lausanne, 1967.

Filmographie

Bertrand Tavernier, *La Princesse de Montpensier*, avec Mélanie Thierry, Lambert Wilson, Grégoire Leprince-Ringuet, 2010.

▶ Une très belle adaptation de la nouvelle de Mme de Lafayette, qui permet de mieux comprendre le récit.

Jean Delannoy, *La Princesse de Clèves*, avec Marina Vlady, Jean Marais, Jean-François Poron, 1961.

Christophe Honoré, *La Belle Personne*, avec Léa Seydoux, Louis Garrel, Grégoire Leprince-Ringuet, 2008.

▶ Une adaptation du grand roman de Mme de Lafayette dans un Paris contemporain.

Patrice Chéreau, *La Reine Margot*, avec Isabelle Adjani, Daniel Auteuil, 1999.

▶ Août 1572 : Marguerite de Valois, sœur du roi Charles IX, est belle, jeune et catholique. Pour renforcer la France, Catherine de Médicis, sa mère, la marie de force au protestant Henri de Navarre, futur roi Henri IV. Mais le massacre de la Saint-Barthélemy est là qui s'annonce... Un film dur mais très éclairant sur cet épisode tragique de l'histoire de France.

Pour mieux comprendre le contexte

Laura Jaffé, *Henri IV*, éd. Réunion des musées nationaux, « L'Enfance de l'art », 1994.

François Pernod (dir.), *La Renaissance*, Fleurus, 2007, édition avec DVD.

Évelyne Brisou-Pellen, *Une croix dans le sable*, Hachette jeunesse, 2004.

▶ Au XVIe siècle, en Bretagne, pendant les guerres de Religion, le tisserand Eder Laurégan élève seul ses trois enfants adoptifs. La vie devient difficile, le passé risque à tout moment de ressurgir...

Jean-Michel Billioud, *Rois et reines de France*, Gallimard Jeunesse, 2005.

François Foll, *L'Enfant des livres*, Nouveau Monde éd., 2009.

▶ Paris, 1570, durant les guerres de Religion. Martin Dubé, 10 ans, est orphelin après que ses parents catholiques ont été massacrés. Il est recueilli par son oncle, un maître imprimeur qui l'exploite sans remords. Un jour, il croise Isabelle Laborde, la fille d'un autre imprimeur aux sympathies protestantes et assiste au massacre de sa famille au cours de la Saint-Barthélemy.

Sandrine Mirza, *Les Religions*, Gallimard Jeunesse, 2009.

▶ À travers 60 entrées, sont exposées la naissance, les similitudes et différences des trois religions monothéistes.

Béatrice Égémar, *Les Noces vermeilles*, Gulf Stream éd. 2010.

▶ Paris, 1572. Henri de Navarre épouse Marguerite de Valois, sœur du roi de France. Louise de Laval, au service de Catherine de Médicis, enquête sur la mort d'une autre demoiselle d'honneur. Elle est persuadée qu'il s'agit d'un assassinat, lié aux sombres complots de la cour. Elle touche au but au moment où Paris s'apprête à fêter la Saint-Barthélemy... Roman policier ayant pour cadre les guerres de Religion.

Dominique Joly, Bruno Heitz, *L'Histoire de France en BD*. Livre 2, Du Moyen Âge à la Révolution, Casterman, 2011.

Crédits photographiques

Photocomposition : JOUVE Saran
Impression : Rotolito Lombarda (Italie)
Dépôt légal : avril 2014 – 313464/03
N° Projet : 11037298 - octobre 2017